D1180070

MARTIN BIRCKS UNGDOM
&
VERS
&
STOCKHOLMSKRÖNIKOR

SVENSKA KLASSIKER

HJALMAR SÖDERBERG

MARTIN BIRCKS UNGDOM
&
VERS
&
STOCKHOLMSKRÖNIKOR

Inledning av Per Wästberg. Kommentar av
Tom Söderberg och Hans Levander.

© Hjalmar Söderbergs dödsbo/Liber/Läsförlaget ab 1989
Omslagsbild Johan Ogden

Isbn 91-7902-098-4
ScandBook ab

Boken är tidigare utgiven av Liber Förlag

INLEDNING

Hjalmar Söderberg (1869–1941) skrev fyra romaner, fem novellsamlingar, tre dramer, en tankebok, ett par religionshistoriska arbeten och ganska många tidningsartiklar. De väckte alla uppseende då de kom ut, och nästan alla är levande än i dag. Fast hans livsverk inte är ett av de mer omfångsrika, i sidor mätt, har han alltid varit en läst författare.

Han filmas, spelas på teatern och har på senare år på nytt översatts till engelska och franska. Han trycks om i bokklubbar och pocketserier. Utlåningssiffrorna från biblioteken ligger stadigt på omkring 25 000 böcker om året. Från vårt sekels första decennier är Söderberg — jämte Hjalmar Bergman — den som framgångsrikast levt vidare.

För en del år sen gick i radio en serie kring de tio största kärleksromanerna i världslitteraturen. I en lyssnaromröstning kom Den allvarsamma leken på fjärde plats efter Kristin Lavransdotter, Anna Karenina och Tristan och Isolde. Denna bok — om vilken Fredrik Böök skrev att "det är som om han tömt byrålådorna på allt gammalt krafs" — är för mig vid sidan av Röda rummet och Gösta Berlings saga den största bland svenska romaner under de hundra år som skiljer Drottningens juvelsmycke från Romanen om Olof.

Genom alla smakväxlingar har kanske särskilt unga människor — inte minst studenter — fortsatt att läsa Hjalmar Söderberg. Många går igenom en Söderbergperiod, han blir en klangbotten, och småningom är det tid att återvända till honom, känna igen sig men ändå hitta något nytt.

Hjalmar Söderberg är inte svensk, bara stockholmare — och europé. Sverige söder om Slussen och norr om Valhallavägen tar ringa plats i hans diktning. I hans värld är hotell Anglais och Rydbergs bar mittpunkterna och Kungsträdgården en landsbygd där allt kan hända. Gatan är ett vardagsrum och ett hem. Det Stockholm där Söderberg rör sig är en världsstad hopkramad till en by. Avstånden är små, krogarna många. Man iakttas från fönster och trottoarer, men om kvällen glöder lyktorna sparsamt och alléerna kring Jakobs kyrka förvandlas till vår tids Malmskillnadsgata. Det är en stad av bekanta ansikten, samtal kring dagshändelser, lånetransaktioner och middagar i societeten. Söderberg har — som Gunnar Ekelöf skrev — en förmåga att "möblera staden åt sig. Den blir som en välombonad ungkarlsvåning, fylld av minnen, porträtt och ärvda saker — men samtidigt av en förtärande ensamhet." Ty diktarens gestalter är likt han själv nomader mellan hyresrum och tillfälliga våningar. De tycks bo i operalogen, på tidningsredaktionen eller i Gropen på Grand hotell. Stockholm lyser igenom dem likt en egenskap.

Det är ett Stockholm där, i minnets perspektiv, "spårvagnshästarnas klockor ännu pinglade i gathörnen som koskällor vid en vägkrök på landet... då man ännu kunde gå i lugn och ro på Djurgården och skarva ihop en versbit utan att vart ögonblick behöva hoppa i diket för en bil, och då inte ens Calle Cederström ännu drömde om att beblanda sig med änglarna i skyn... då man om sommarnätterna ibland kunde hitta en liten igelkott på trottoaren utanför Lagerlunden..."

Det är dock sällan Hjalmar Söderberg sveper sin tid i ett nostalgiskt dis. De hopplösa existenserna överväger, inte minst i Historietter, den bok som innerst är hans mest förtvivlade och som är fylld av skräck inför livets ojämna och snåla villkor. Få författare har för övrigt skrivit så mycket om mardrömmar; de blir en andra verklighet som gör den till synes så rationelle Söderberg till expressionisternas föregångare. Det går en linje från hans drömmar till Pär Lagerkvists Onda sagor och vidare genom pessimismens 40-tal till Lars Gyllensten och Willy Kyrklund.

På kafé Aftonstjärnan — som egentligen hette Boulevard och låg vid Karlavägen — sitter, i Söderbergs drama, de som har gjort upp räkningen med framtiden och låter viskyn stå för drömmarna. De lutar sig tillbaka i den manliga verklighetsflyktens schaggsoffor, men de sluddrar sällan på målet där de umgås med varandra utanför samhällsansvar, äktenskap och annat som tagit knäcken på deras livsvilja.

Bo Bergman, Söderbergs studentkamrat, visade mig en gång sitt klassfoto från Norra Latin årgång 1888 och sa:

"Se här så många olyckliga, självmördare, människor som har dött ensamma på landsortshotell. Pengarna räckte inte. Valmöjligheterna var få. En massa yrken var inte uppfunna än. Nog hade folk här i landet större skäl att vara pessimister då än nu."

Den oscariska epokens unga män dansade på borgerliga middagar med sköra och ekonomiskt oåtkomliga familjeflickor som bevakades av oskuldsmyten och av sina fäder. Efteråt gick de ut och betalade en flicka av folket för tjänster som ansågs hygieniskt självklara, medan familjeflickan stängdes in med en romantisk följetong. Om tidens inställning till kvinnorna talar Martin Birck i satser som ännu känns bittert storslagna, fastän verkligheten bakom dem har ändrats.

Många har skrivit om Hjalmar Söderberg på ett sätt som är litet nedsättande: hans begränsade motiv, hans brist på episk handling, hans tunna blod och skeptiska frusenhet. Men vid omläsning är det passionen och medkänslan som lyser fram, det är avskyn för tomma fraser, bristen på koketteri, en förtvivlan utan självömkan.

Hjalmar Söderberg är fullkomligt ärlig också i sina begränsningar. Han låtsades aldrig vara någon annan och ansåg det smått ohederligt att alls uppfinna en person, att dikta till något. Han draperade sig inte i myt och exotism likt det 90-tal han i mycket beundrade. När Oscar Levertin vandrar längs Acheron, håller sig Söderberg kvar vid Norrström. Då Heidenstam sänder Hans Alienus in i Vatikanens labyrinter, låter Söderberg Arvid Stjärnblom arbeta på Svenska Dagbladets redaktion. Medan hos Selma Lagerlöf bal ståndar å Berg, äter doktor Glas middag på Djurgårdsbrunn. Hans förebilder var danska och franska: Herman Bang och J.P. Jacobsen, Maupassant och Anatole France. Näverlurar, träskoromantik och annan svensk nationalism var honom främmande. De idéer som grep honom i ungdomen förblev han trogen.

Vi vet var vi har honom. Han sa klart ifrån. Och kanske var det lätt för honom med hans logiska intelligens: han tycks aldrig treva i dunklet utan spårar upp falskheten hos sig själv lika ihärdigt som hos andra. Hans diktning gör en därför på en gång emotionellt trygg och intellektuellt oroad.

När Söderberg vid 24 års ålder karakteriserar den norske diktaren Arne Garborg, gör han det i ord som kunde gälla honom själv:

"Han har vid studiet av människosjälen ständigt sökt tillbaka till den enda urkällan: det egna jaget; och av detta jags rikedom på motsättningar har han danat den temperamentets spännvidd, som tillåter honom att följa de mänskliga drifternas skuggspel med en lika rymlig som intensiv medkänsla."

Bo Bergman som anstränger sig att porträttera vännen med en objektivitet som kan närma sig snålhet skriver i sin minnesteckning:

"En meditativ natur full av vaken misstänksamhet mot det samhällskanoniserade på vilket område det än uppträder, en tungsint sensualist utan något över-

flöd på röda blodkroppar, ett klipskt huvud, en förut-
bestämd själ med färdiga åskådningar och ringa ex-
pansionsmöjligheter."

Sant är att han inte förnyade sig. Han förblev sig
själv. De som förnyades var hans läsare — genera-
tion efter generation. Han var intellektuellt envis när
det gällde att hålla fast vid det han ansåg vara san-
ning och rätt. Han ville — som Bo Bergman också
skrev — vara något mer än ett konstnärligt samvete.
Han ville vara ett samvete överhuvud. Han föraktade
halvmesyrer. Han genomlyste clichéer, grumliga före-
ställningar. Och han talade aldrig utan att ha något att
säga.

Dock hade han sannolikt mer att säga än han fick
framfört. Han drabbades ofta av skrivleda och de-
pression. Han talar i ett brev om långa perioder då
han är oanvändbar för sina vänner och knappt vågar
sig utom dörren. Han var starkt självkritisk, förkasta-
de mycket av det han skrev och lät också Martin
Birck tänka: "Den, som skall bli diktare, är ingenting
alls annat än ett åtlöje för Gud och människor, förrän
han redan blev erkänd och berömd. Därför måste han
under alla de långa läroåren hänga en falsk skylt över
sin dörr och låtsas sysselsätta sig med något som
människorna anse aktningsvärt."

Nietzsche anklagade diktarna för att ljuga för
mycket: "alla grumla de sitt vatten att det må synas
djupt." Hjalmar Söderberg ljög inte. Hans vatten är
rent och oförgiftat, och vi ser obehindrat ner mot den
mörka bottnen. Retorik och yviga gester ligger inte
för honom. Han tummar varken på rättvisan eller or-
den. Hans prosa är melodiskt ren och enkel, och man
känner igen den lika lätt som en teckning av Carl
Larsson. Den har haft få efterföljare. Men utlänning-
ar som vill lära sig god svenska börjar med Historiet-
ter och Doktor Glas. Kanske är han, efter Strindberg,
den ende svenske prosaist hos vilken man minns be-
skrivningar och repliker som man annars enbart

minns diktrader. Så brukade han också säga att han aldrig haft så bråttom att han måst använda så fula förkortningar som "mänska" och "arton".

I Hjalmar Söderbergs verk återvänder gestalterna från en bok till en annan: doktor Markel och Henrik Rissler och Martin Birck; och det är lätt att se släktskapen mellan Tomas Weber och Arvid Stjärnblom. Därför känns det föga nödvändigt att utnämna favoriter bland hans böcker. Förvillelser, debuten, är den friskaste och modernaste romanen från 90-talet. Martin Bircks ungdom blev från början en svensk klassiker, och Martin själv en symbolisk gestalt likt Werther, Oblomov, Leopold Bloom. Det är en bok om vanmakt och klarsyn som tiotusentals läsare identifierat sig med. Trötta flanörer har de fått heta, och hjältemod och handlingskraft krävs förvisso inte av dem. Kravet är ett annat: intellektuell renhårighet, inget självbedrägeri, aldrig bekänna sig till en uppfattning bara därför att den är allmänt godtagen eller lönsam.

Doktor Glas (från 1905) blev den mest debatterade av hans romaner och den internationellt mest spridda. Den handlar, enligt sin författare, om ett tyrannmord, berättigat därför att pastor Gregorius i skydd av natten och lagen famnar sin hustru mot hennes vilja. Pastorn förbryter sig mot kärlekens sakrament och avrättas med en liten tablett vid vattenbutiken i Kungsträdgården. Dr Glas älskar Helga Gregorius som i sin tur oförnuftigt älskar den svekfulle don juanen Klas Recke. I kärlekens namn hjälper henne doktorn att få den man som han vet ska överge henne. Dr Glas mördar därför att han inte kan se sin älskade plågas. Han menar att allt i vår kultur som inte dikteras av hunger och självförsvar beror på kärleken, eller snarare drömmen om kärleken.

Kärlekens nederlag mot människornas grymhet, list och bedrägeri — kanske är det Hjalmar Söderbergs stora tema. Själen hårdnar eller besudlas. Berget i

10

midsommarnatten där dr Glas kysste sitt livs första kärlek är det förlorade paradiset. Kvar blir — som i Aftonstjärnan — en lysten gubbe och livet som manglar dem alla. Kvar blir hos Söderberg själv en förlamande besvikelse, en vrede över förljugenheten i människors beteende och ett medkänslans leende för dem som har kämpat förgäves.

Kärleken är hos Söderberg både en erfarenhet av religiöst slag, den enda frälsande, och en ofrånkomlig drift, starkare än viljan. Den har en romantisk och en naturalistisk sida, och de sammansmälter inte utom i förtätade ögonblick som hastigt förgår. Främlingskapet väntar i framtiden.

"Älska, ja — vad är det egentligen?" frågar Erland Jansson i dramat Gertrud. "Jag har alltid tyckt att 'älska' är ett underligt ord. Det låter så främmande. Det låter inte som det vore riktig svenska." Hjalmar Söderberg gör uppror mot samhällets dubbelmoral, maskulina härsklystnad och prestigesjuka. Hans kärleksskildring är också samtidskrönika. Likt Strindberg inser han att känslorna är beroende av den miljö där de utspelas och att vi lever på många plan som ständigt sammanblandas: politiska och privata, estetiska och erotiska.

Kvinnans kärlek och mannens verk är fiender från begynnelsen, heter det hos Gertrud, ty hos ingen av tre män finner hon gensvar för sin lidelse; hon är dömd till ensamhet. Samtidigt är hon nästan hänsynslöst oberoende av dessa män som i första hand finns till genom henne och som aldrig föraktar henne. De är inte rivaler och konfronteras inte med varandra — lika litet som Dagmar och Lydia i Den allvarsamma leken. Men Lydia, med all sin självtagna moraliska frihet, är underlägsen, och Arvid kränks och såras av henne. Kanske för att hämnas eller för att upprätta en balans gentemot Gertrud vars absoluta kärlekskrav skildras med en förstående vördnad gör Söderberg Lydia en smula känslokall och småskuren. Lydia är

11

Gertrud devalverad. Hon har slagit av på fordringarna och behöver inte lida så svårt som Gertrud. Andra får lida för henne.

Lydia blir verkligare så, motsägelsefullare och därmed lättare att uppleva invändningsfritt. Hon iakttas — Knut Jaensson har påpekat det — med den förälskades ögon och sedan, i slutet, med den bedragnes oförstående blick. Men hon är samtidigt skildrad så noga, och med den rättvisekänsla som är författarens och Stjärnbloms, att läsaren kan bilda sig en egen uppfattning om henne.

Både i Gertrud och Den allvarsamma leken är det kvinnan som sviks i sitt kärlekskrav och mannen som sviks av den kvinna han älskar. Arvid vill tro på en passion djupare än den sexuella lusten. När Lydia bedrar honom, kräks han och skriver ett i egna ögon storsint förmaningsbrev. Lydia finner brevet överlägset och kränkande. Fast Söderberg får oss att förstå bådas reaktion, skymtar här för ovanlighetens skull ett könsrollstänkande. Arvids handlingssätt ges större moraliskt berättigande än Lydias. Ty Arvid — med en oäkta son och en bedragen hustru — handlar av passion, Lydia snarare av erotisk impuls. De är bägge oförnuftiga, men Lydia är den ansvarslösare. Arvids motiv och känslor utvecklas utförligt och ursäktas på så vis, Lydia däremot framställs som gåtfullare än hon behövde vara. Valet av synvinkel diskriminerar Lydia.

Samtida kritiker (alla män) uppfattade Arvid som någon som fastnat i det borgerliga livets rutin, medan Lydia — för att citera Bo Bergmans recension — är "ett litet kvinnligt rofdjur, den typiska förförerskan..." Lydia är otrogen sin man, medan Arvids snedsprång uppfattas som närmast respektabla. Sentida läsare häpnar kanske mest över konvenansens och ekonomins tryck. Arvid och Lydia älskade varandra men hade inte råd att gifta sig. Med tiden möts de på nytt, men aldrig i vardagets allvar utan enbart i hängivelsens vågspel och extas — och därefter åter till den trygghet de upplever som lika nödvändig som trist. De förmår inte leva enligt sin känsla, de vågar inte begära friheten, och kanske unnar de den inte åt varandra.

I Den allvarsamma leken är alla bedragna, Arvid av Lydia, Dagmar av Arvid, men också Dagmar har bedragit Arvid på att hon hade en rik far. De ljuger och säljer sig för pengar, för trygghet. De har sin lust och sin självbevarelsedrift, sin hunger efter lidelse, sin moral och sina drömmar. Och inget stämmer — så är livet, och samhället. Det är därför att Söderberg vet så mycket om det som han genom tidens händelser tränger fram till läsare i varje ny epok.

Vi hör Söderbergs röst bakom Arvids. Han var i verkligheten låst i ett äktenskap, sitt första, som mist all innebörd. Han levde 1902–1906 i en passion för Maria von Platen som han — senare i ett brev — betecknade som det mest avgörande i sitt liv. Hon övergav honom samtidigt som hans äktenskap slutgiltigt gick sönder. Söderberg har antytt att Maria von Platen är en förebild till både Gertrud, Lydia och Helga Gregorius. Gertrud skrevs medan förälskelsen varade, och Söderberg tycks instämma i hennes kritik av det kluvna och förströdda i männens erotik. Den allvarsamma leken kom till under en period då katastrofen ännu har kvar sin bitterhet. Nu-känslan i Gertrud har blivit förfluten tid, och Den allvarsamma leken gestaltar en besvikelse som Markel i romanen Doktor Glas uttrycker med att "människorna bekymra sig inte om lyckan, de söka efter vällusten". Så gjorde i varje fall Helga Gregorius, och den genomskådande dr Glas slogs av att det var "alldeles samma handlingssätt som fyllde mig med vämjelse för den gamle prästen och med en oändlig ömhet för den unga kvinnan, ja, med en försagd vördnad som inför gudomens närhet".

Hjalmar Söderberg gjorde litteratur av det som va-

13

rit liv och verklighet. Men — säger Arvid till Lydia — inte ens för en diktare är det möjligt att göra litteratur av sin kärlek "så länge det ännu finns en gnista liv i den. Den måste nog vara död först, innan han kan balsamera den." Och det är sant att Söderberg, en av de stora kärleksdiktarna i nordisk litteratur, i Gertrud och Den allvarsamma leken skrev om en passion som gått förlorad och i Martin Bircks ungdom om en lidelse som ännu inte tagit gestalt.

Där Strindbergs erfarenhet av kvinnan slutar i hat, leder Söderbergs till resignation. För den ena är hon först och främst moder, för den andra är hon kärleksdrömmen, den förenande passionen. I motsats till Strindberg ger Söderberg barnen ingen framträdande roll. Hans älskande är sällan ungdomar, men heller inte föräldrar. Märta Brehm får föda sitt och Tomas Webers barn i Norge, Arvid Stjärnblom har barn och Gertrud har haft en gosse som dött. Men man hör inte mycket om dem. I den konservativa familjemoral Söderberg bekämpade stod barnen i centrum liksom skyldigheten att låta släkten leva vidare och förkovra sig i ära och egendom. Mot äktenskapet som en legitim institution — utmålat med sådan avsky i Doktor Glas — sätter Söderberg den förbehållslösa kärleken, den fria men icke tillfälliga förbindelsen.

Vi som läser Söderberg för hans psykologiska klarsyn och hans stockholmspoesi glömmer lätt den förbittring han mötte i sin tids Sverige: hur skolungdomen förbjöds se Gertrud, hur en förening bildades mot hans osedlighet och hur konfirmander tvingades gömma Hjärtats oro under strumporna i byrålådan. Han ansågs vara en ungdomens förförare, därför att han genomskådade den offentliga lögnen och hade en tryffelhunds luktsinne för hyckleri och ihåligt prat.

Mer än någonting annat är Hjalmar Söderberg moralist och upplysningsman. Han trodde på tanken och förnuftet som ett röjningsredskap bland all rutten bråte. Den skyldighet och den vilja Arvid Stjärnblom läser om på Döbelns gravsten på Johannes kyrkogård är allvar och inte ironi. Samtidigt upplevde han sig själv som förutbestämd och programmerad: han kände sig tidigt färdig, åldrad från begynnelsen. Och det är denna förening av undertryckt patos och motvillig determinism som är Hjalmar Söderbergs särprägel. Den gör förnuftsmänniskan till poet. Hans envisa, nästan ödesbetonade återvändande till vissa symboler — busen, aftonstjärnan, krogsoffan, klockklangen i Jakobs, olika ljusförnimmelser — ger hans verk en musikalisk kontinuitet, en hemlighetsfull upprepning: vi ser hur kartan ritas till Hjalmar Söderbergs eget land, det vi kan kalla Stockholm eller Köpenhamn men ändå bara är hans.

Bilden av Söderberg som trött flanör och skeptisk ironiker är naturligtvis alldeles för ensidig. Revolutionär var han aldrig, men fiende till all fanatism, all dogmatik, till världsordningar och utopier som skulle fånga människorna i nya regementen och nya tvångströjor. Han är ovanligt behovslös när det gäller ideal och auktoriteter: "Jag tror lika litet på ett högsta väsen som på ett högsta tal." Han häpnade över den sympati människor kan känna för Makten. Om Al Capone blev president i USA, skulle det ej dröja länge förrän folk började beundra "hans gemytliga och vänliga sätt, hans varma och nästan litet naiva katolska fromhet, hans vakna blick för all intellektuell humbug och hans praktiska grepp på de svåraste nationalekonomiska problem". Vad hjälper en allmängiltig moral, om man inte kan undervisa maktens ägare, "en Kreuger, en Hitler, Stalin eller Mussolini", i denna moral och förmå dem att följa den? Söderberg såg ledande statsmän handla "som om de de hade hämtat sina inspirationer ur kriminalromaner och dåliga filmer, vilket de förmodligen också ha".

Modet att stå för sina åsikter hade han alltid. Långt ifrån att vara en marionettfilosof trodde han på diktarens förmåga att ändra sin tid i stället för att lyda den:

15

"Är hans kraft så stark som hans vilja, så dekreterar han lugnt att det är tidens ur som går orätt och inte hans." Han engagerade sig oförbehållsamt när han väl blivit intellektuellt övertygad. Han ställde sig i Svenska Dagbladet på rättens och sanningens sida i Dreyfusaffären, denna storm "som delade vågorna, som skilde agnarna från vetet, som flyttade skyltar och satte var och en på sin rätta plats". När Knut Wicksell tio år senare dömdes till fängelse för hädelse efter en förtalskampanj i SvD, gick Söderberg i protest över till att skriva i Dagens Nyheter och inledde sitt medarbetarskap med att angripa hädelseparagrafen. I Den allvarsamma leken får Markel av samma orsak och vid samma tid byta tidning.

Sedan han skrivit den romanen, ville han bort från den erotiska psykologin, ja kanske från dikten och fantasin överhuvud. Musikrecensenten Stjärnblom reser i slutet av boken ut i Europa som korrespondent. I stället för drömmar kunskap, ansvar, lusten att göra en insats och vara med i historien. Söderbergs eget intresse blev från första världskriget alltmer den samtida maktpolitiken och bibelkritiken, två områden där han hade svårt att vinna gehör. Ändå hade han redan 1914 genomskådat Tysklands maktbegär. I dramat Ödestimmen skildrade han humanismens tragiska kamp mot nationalism och militarism, och i Generalkonsulns middagar skämtade han, förutom med prästerskapet, med högerns F-båtsraseri. Där hans vän Bo Bergman drabbades av det tragiska i själva tillvaron, såg Söderberg det livshotande i påvisbara företeelser som kyrkan, familjen, chauvinismen, handlingsromantiken.

På 30-talet kämpade han på nytt mot de makter som en gång sökt krossa Dreyfus, och likt Zola vädjade han till världens sovande samvete. Ty när orättvisan och dumheten blev för stora, vaknade hos Söderberg en paradoxal handlingslust. Den politiska lögnen och förtrycket stod för honom alltid som en svårare synd än lusten till nästans hustru. Demokratin blir aldrig självklar så länge det inte anses "önskvärt att folk blandar sig i sina egna angelägenheter". Diktaturen är alltid olämplig: "den människa är ännu inte född, som kan sköta hushållet för en familj med hundra millioner barn." Det gällde att aldrig vara banditernas medintressent, om man också blev deras offer. Undfallenhet var livsfiasko: marionetten proklamerade sig som människa. Uppgivenhet var att tro sig lösa problem genom att glömma att de existerade.

Det var därför naturligt att Söderberg, då han 1939 fann Dagens Nyheters hållning till nazismen oklar, övergick till att skriva hos Torgny Segerstedt i Handelstidningen. Hans kamp mot nazismen gjorde hans sista levnadsår till hans hopplösaste men också tveklösaste. Han dog i ett ockuperat Köpenhamn, övertygad om att nazismen innebar civilisationens slutgiltiga undergång. Bo Bergman har berättat att då tyskarna satte brevhemligheten ur spel hans korrespondens upphörde. Om likgiltiga ting kunde Hjalmar Söderberg inte skriva, och det gäller hela hans författarskap. Han skrev inte för att fabulera utan för att tala tydligt i en fråga, och därför är han i längden själv än mer fängslande än sina diktade figurer.

Om Hjalmar Söderbergs tankar skrev hans vän Carl Laurin att de likt skönt präglade mynt av ädel metall kommer att säga något "om den tid då de tillkommo, även om de icke gälla längre". Men det fina med hans tankar är att de också säger något om vår tid. De är gångbara så länge någon vill röja upp i dimmig vidskepelse och andligt hokus-pokus.

Vi som läser honom i dag bör akta oss för att göra det som pastisch och stämningsmåleri. De moraliska egenskaper som var hans är lika nödvändiga nu. Hans frågor är, med någon nyöversättning, lika aktuella. Finns det någon — som det hävdades att Dreyfus borde göra — som kan tjäna sitt land bättre genom att ta på sig ett brott? Vad är fosterlandsförräderi? Var går gränsen mellan liv och död när det gäller abort och dödshjälp? Kan människoexperiment tillåtas? Är statstjänstemän någonsin berättigade att ljuga för allmänheten eller läcka konfidentiell information eller vägra utföra sina överordnades befallning?

Hjalmar Söderberg är ingen portalgestalt för en ny diktning. Men han skrev ett antal sidor som kanske är det mest fulländade vi har av svensk prosa. Andra kan hänföra och gripa mer, men få är så kvicka, så besinningsfulla och bittert klarögda. Det är lätt att uppleva hans stil som en seger över livets orättvisor. Han formulerar tillvaron åt en och gör den därmed gripbarare och uthärdligare.

Som få andra är Hjalmar Söderberg sin tid — men inte passivt och lydigt. Han gav den sitt ansikte. Mer förtrollande och mer exakt än någon gjorde han tidens ord till sina. Men det finns i själva hans klarhet något oåtkomligt som verkar som ett rus. I det genomskinliga döljs osynliga partiklar av poesi och lidelse.

Per Wästberg

18

MARTIN BIRCKS UNGDOM

Berättelse

(1901)

DEN GAMLA GATAN.

I

Martin Birck var ett litet barn, som låg i sin säng och drömde.

Det var sommarafton och skymning, en tyst och grön skymning, och Martin gick vid sin moders hand genom en stor och underlig trädgård, där skuggan låg mörk i alléernas djup. På båda sidor om vägen växte sällsamma blå och röda blommor, på smala stänglar vajade de av och an för vinden. Han gick och höll sin moders hand och såg förvånad på blommorna och tänkte på ingenting. Du får bara plocka de blå blommorna, de röda äro giftiga, sade modern. Då släppte han hennes hand och stannade för att plocka en blomma åt henne, en stor blå blomma ville han plocka, som satt och nickade tungt på sin stjälk. En sådan underlig blomma! Han såg på den och luktade på den. Och åter såg han på den med stora, förvånade ögon: den var ju icke blå, utan röd. Den var alldeles röd! Och så otäckt, giftigt röd! Han kastade den elaka blomman på marken och trampade på den som på ett farligt djur. Men då han vände sig om, var modern borta. Mamma, ropade han, var är du? Var är du, varför gömmer du dig för mig? Martin sprang ett stycke nedåt allén, men han såg ingen, och han var nära att gråta. Allén låg tyst och tom, och det mörknade mer och mer. Äntligen hörde han en röst helt nära: Här är jag, Martin, ser du mig inte? Men Martin såg ingenting. Här är jag ju, varför kommer du inte hit? Nu förstod Martin: bakom fläderbusken, det var därifrån rösten kom, att han inte hade förstått det genast... Och han sprang dit och tittade; han var säker om att hans moder hade gömt sig där. Men bakom fläderbusken stod Frans från Långa raden och gjorde en otäck grimas med sina tjocka, såriga läppar, och så räckte han ut tungan så långt han kunde! Och en sådan tunga han hade: den blev längre och längre, ja den tog aldrig något slut, och den var full med små gulgröna blåsor.

Frans var en liten buse, som bodde i "Långa raden" snett över gatan. Förra söndagen hade han spottat på Martins nya bruna klädesjacka och kallat honom snobb.

Martin ville springa sin väg, men stod som fastspikad vid jorden. Han kände, hur benen domnade under honom. Och trädgården och blommorna och träden voro borta, och han stod ensam med Frans i en mörk vrå av gården därhemma, vid soptunnan, och han försökte skrika, men det kändes som om strupen varit hopsnörd...

II

Men då han vaknade, stod hans moder vid bädden med en ren vit skjorta i handen och sade:

— Upp med dig, du lilla sjusovare, Maria har redan gått till skolan. Och kommer du inte ihåg, att päronträdet på gården skall plundras i dag? Du får skynda dig, om du skall få något med!

Martins moder hade blåa ögon och brunt hår. Och på den tiden var blicken ur dessa ögon ännu leende och ljus.

Hon lade skjortan på sängen och nickade åt honom och gick ut.

Maria var Martins stora syster. Hon var nio år. Hon gick i skolan och visste redan vad många saker hette på franska.

Men Martin hade ännu sömnen i ögonen och drömmens virrvarr i huvudet och kunde icke komma sig för att stiga upp.

Gardinen var uppdragen, och solen sken rätt in i rummet. Dörren till köket stod på glänt. Lotta låg i köksfönstret och pratade med någon; det var visst med Häggbom, portvakten. Till sist började Häggbom sjunga nere på gården, med sin supiga röst:

"Om jag nu vore som Salomon rik
och hade pengar i stycken,
skulle jag fara till Turkit
och köpa mig hundra flickor."

— Vad skulle Häggbom göra med så många? frågade Lotta. Häggbom, som inte kan sköta sin madam en gång.

Martin kunde inte höra vad Häggbom svarade, men Lotta började skratta med full hals.

— Häggbom har ingen skam i sig, sade hon.

Nu kom visst portvaktarmadamen också ut på gården; det lät som om hon slog ut en balja diskvatten. Så började hon gräla på Häggbom, och på Lotta också. Men Lotta skrattade bara och smällde igen fönstret.

Martin låg halvvaken och stirrade på sprickorna i taket. Det var en spricka, som var alldeles lik madam Häggbom, om man såg på den på det rätta sättet.

Klockan slog nio i Ladugårdslandskyrkan, och då den hade slutat att slå, började klockan i salen. Martin hoppade ur sängen och sprang till fönstret för att se, om päronen sutto kvar i trädet.

Päronträdet på gården var kärt för husets kattor och barn. Det var gammalt och stort, och många av dess grenar voro redan torra och döda; men de andra skänkte ännu blom och grönska varje vår och frukt var höst.

Häggboms pojkar sutto uppe i trädet och kastade ned päron, sedan de först hade stoppat sina fickor fulla, och nedanför slogs den övriga barnskaran om vart päron, som kom ned ur trädet. Mitt i flocken stod fru Lundgren, bred och högröstad, och ville skipa rättvisa; men det var ingen som brydde sig om henne. Ett stycke ifrån stod lilla Ida Dupont med stora ögon och händerna på ryggen; hon vågade sig icke in i tumultet. Och fru Lundgren skaffade henne icke något päron, ty hon var ovän med herr Dupont, som var violoncellist i hovkapellet.

Martin blev ivrig, kastade på sig kläderna i flygande hast och kom ned utför trapporna.

Lotta skrek efter honom:

— Skall han inte tvätta och kamma sig först —

Men Martin var redan på gården. Fru Lundgren tog honom genast under sitt beskydd.

— Kasta ner ett päron åt Martin, John — håll upp mössan, lilla barn, så får han ett päron —

Det kom ett päron i mössan. Men nu stod Martin och kunde inte hitta rätt på sin pennkniv; han ville skala päronet.

— Tag hit päronet, jag skall skala det åt dig, sade fru Lundgren.

Och hon tog päronet, bet i det med sina stora, gula tänder och rev bort ett stycke av skalet. Martin gjorde stora ögon och blev mycket röd. Nu ville han inte alls ha något päron.

Herr Dupont låg i sitt fönster i skjortärmarna och rökte pipa med en röd kalott på huvudet. Nu böjde han sig ut och skrattade åt fru Lundgren.

Fru Lundgren blev misslynt:

— Det är ett bortskämt barn, sade hon.

Nu höll John triumferande upp det sista päronet, och barnen hurrade och skreko, men John stoppade päronet i sin byxficka. Men så hittade Ville ännu ett, och det var det allra sista; han fick se Ida Dupont stå med tårarna i ögonen borta vid väggen, och så kastade han ädelmodigt sitt päron i hennes förkläde. Så hurrades det igen; päronträdet var plundrat.

Men nu kom madam Häggbom ut:

— Gud i himmelen ett sånt oväsen, och Häggbom som ligger för döden! Ner med er ur trädet, lortungar!

Häggbom hade för en tid sedan legat sjuk, och madamens fantasi vände ofta tillbaka till denna jämförelsevis lyckliga tid.

Pojkarna hade kommit ned ur trädet; hon fick John i håret och Ville i örat och skulle leda in dem. Men fru Lundgren kände sig en smula stucken; hon hade ju på sätt och vis presiderat vid uppträdet. Hon var dessutom road av gräl och försummade därför icke att med en viss skärpa förehålla madam Häggbom det olämpliga i hennes uppträdande. Madamen släppte sina pojkar för att kunna sätta händerna i sidorna, och det blev stor träta. Åhörare strömmade till, och alla köksfönster slogos upp på vid gavel.

Till sist bröt en röst genom grälet:

— Sch! Kanslirådet!

Det blev alldeles tyst; kanslirådet Oldthusen hade den största våningen och var husets finaste hyresgäst. Han var klädd i en lång, åtsittande livrock, och under armen bar han en liten skinnportfölj. När han hade kommit nedför trappan, stannade han och tog en pris snus. Därefter gick han långsamt ut genom porten med tankspridd och bekymrad statsmannamin.

Martin och Ida smögo ut på gatan, hand i hand. De vågade sig ett par steg utanför porten; så stannade de mitt på gatan och blinkade mot solen.

Gatan var kantad av trähus och tegeltak och gröna träd. Huset, där Martin bodde, var det enda stora stenhuset vid hela gatan. "Långa raden" snett emot låg i skuggan: en låg, smutsgrå huslänga. Där bodde bara riktigt fattigt folk, sade Martins mor. Bara patrask, sade fru Lundgren. I färgeriet litet längre ned på gatan var det ingen brådska; färgaren stod i sin port i tofflor och vit linnerock och pratade med frun på magasinet. Till och med utanför krogen i hörnet var det tyst. En bryggarkärra höll därutanför; hästen stod med bundna framfötter och åt havre ur en påse, hängd om hans mule.

Klockan slog tio i Ladugårdslandskyrkan.

Ida pekade nedåt gatan:

— Där kommer getgumman.

Getgumman kom med sina båda getter; den ena ledde hon i ett snöre, den andra gick lös. Kanslirådets lilla dotterdotter hade kikhostan och drack getmjölk.

— Ja; och där kommer lumpgubben.

Lumpgubben kutade in genom porten med sin påse på ryggen och sin svarta, smetiga käpp. Man sade, att han hade sett bättre dagar.

Två fulla kommo ut från krogen och vinglade gatan fram, arm i arm. En poliskonstapel i vita linnebyxor gick av och an; "Fäderneslandet" stack upp ur bakfickan. En flock höns tågade ut från Långa radens gård, med tuppen i spetsen; polisen stannade, tog upp ett halvt franskt bröd ur bakfickan och började mata dem.

— Vad ska vi göra? frågade Ida.

— Jag vet inte, svarade Martin.

Han såg mycket hjälplös ut.

— Vill du ha mitt päron?

Ida tog upp sitt päron ur fickan och höll det under näsan på Martin. Det såg mycket frestande ut.

— Vi kan dela, föreslog Martin.

— Ja, vi kan ju dela.

— Men jag har ingen kniv att skära med!

— Det gör ingenting. Bit först du, så biter jag sen.

Martin bet, och Ida bet. Martin glömde, att han ville ha päronet skalat.

Nu var det någon som ropade på Martin, och i nästa ögonblick kom mormor ut och tog honom vid handen.

— Vad i Herrans namn tänker Martin på i dag?

Skall han inte kamma sig och tvätta sig och äta frukost? Fanken besitta, en så'n pojke...

Mormor skulle föreställa ond, men Martin skrattade bara.

I portgången mötte de Häggbom; han gick redan litet osäkert. Han vek undan med en lång lov och tog mycket hövligt av sig mössan, medan han sluddrade på sin visa:

"skulle jag fara till Turkit
och köpa mig hundra flickor."

På gården hade det blivit stilla. Madam Häggboms feta röda katt låg på soptunnan och spann med halvslutna ögon, och nedanför kilade råttorna ut och in.

III

En grå oktoberförmiddag fick Martin tillåtelse av sin mor att gå ner till Ida Dupont och leka.

Herr Dupont hade två små rum en trappa upp. Vid denna tid på dagen var han på repetition i hovkapellet; Martin och Ida voro ensamma.

Det var en mörk och mulen dag. Det inre rummet låg i halvskymning med en hög spånjalusi för fönstret. När man vek undan ett litet hörn av jalusien, såg man mellan två gråa husgavlar ett stycke av Ladugårdslandskyrkans stora svarta kupol. Bing bång, sade klockorna.

Ida visade Martin ett tittskåp med färglagda tavlor. Där funnos vita slott och trädgårdar med kulörta lyktor i långa glimmande rader, gula och röda och blå. Där funnos främmande städer med kyrkor och broar, och ångbåtar och stora skepp på en bred flod. Och där funnos festligt upplysta salar med strålande ljuskronor, men det som såg ut som ljuslågor var bara små hål, utstuckna med knappnålar. Och det blev alltsammans så stort och så levande, när man såg det i tittskåpet. Det nästan rörde sig, det var visst något trolleri ...

— Det har jag fått av min mamma, förklarade Ida.

— Men var är din mamma?

— Hon är borta.

Martin såg undrande ut.

— Hur då borta?

— Hon har rest bort med en främmande herre. Men ibland skriver hon brev till mig, som pappa läser för mig; och ibland får jag vackra saker av henne, som hon skickar.

Martin blev mycket nyfiken. Han ville gärna veta mera, men han visste inte riktigt om han borde fråga.

Men Ida tog Martin om båda axlarna och såg mycket viktig ut:

— Vet du vad vi ska göra nu? frågade hon. Nu ska vi klä ut oss.

Hon drog ut en byrålåda och började plocka upp röda liv av sammet, sidensars och rips, med snören och rosetter i oändlighet; sidenskor, handskar och silkesstrumpor och långa slöjor av tyll — skära, vita, blå.

— Det här har jag också fått av min mamma ... när hon var vid baletten.

Hon tog en tunn, ljusblå slöja med silverpaljetter och svepte den om huvudet på Martin. Så fick han ett rött liv, ett skärp av silverskir, en vit kjol.

— Så lustig du ser ut, sade Ida. Alldeles som en flicka.

Martin såg sig i spegeln, och de skrattade båda.

— Kom hit, sade Ida, så skall jag sota mustascher på dig.

Martin tyckte inte att det passade med mustascher, när han skulle vara flicka. Men det brydde Ida sig inte om: hon sotade en kork över ett ljus och ritade stora, svarta mustascher på Martin, och hon passade också på att svärta ögonbrynen på sig själv — så tittade de i spegeln igen och skrattade.

— O, så vackert att ha svarta ögonbryn, sade Ida.
Tycker du inte att jag är vacker?
— Jo, sade Martin.
Ida hittade på allt möjligt:
— Om du nu vill vara riktigt snäll, så ska vi hålla kalas.
Hon gick till ett skåp och letade fram en halvutdrucken vinbutelj och ett par gröna glas. Så dukade hon upp på toalettbordet och slog i.
Martin gjorde stora ögon:
— Törs du det för din pappa?
— Ja då. Jag törs allt vad jag vill för min pappa. Min pappa är snäll han. Är din pappa snäll?
— Ja, svarade Martin.
Och de skålade och drucko. Det var ett sött och gott vin, och det lyste så grant och så dunkelrött i de gröna glasen.
Ute hade det börjat snöa. Det var stora, tunga flingor; fönsterblecket var redan alldeles vitt. Det var den första snön som föll; och kyrkklockorna ringde i den svarta kyrkan: bing bång, bing bång. Martin och Ida lågo på knä på en stol med armarna om halsen på varandra och näsorna tryckta mot rutan.
Men Ida slog i mera vin och skålade med Martin. Och sedan tog hon ned en gammal fiol från väggen och började spela på den, och medan hon spelade, dansade hon också och svängde med en vit slöja. Det lät mycket besynnerligt, då Ida spelade fiol. Martin höll för öronen, skrattade och sjöng och skrek. Men så började det klia på ryggen på Martin. Då kom han ihåg, vad hans mamma hade sagt, att Ida Dupont hade loppor.
— — — Martin var inne i sängalkoven och tittade. Längst inne i halvdunklet satt en madonnabild bakom två halvbrända vaxljus; och nedanför hängde ett krucifix.
Martin stirrade förvånad.
— Vad är det? frågade han.

Ida blev mycket allvarsam och svarade lågt, nästan viskande:

— Det är vår religion.

Herr Dupont var katolik.

— Vänta, sade Ida, sätt dig därborta och var tyst, så ska jag lära dig vår religion.

Ida svepte in sig i skärt tyll med guldpaljetter. Så gick hon fram och tände vaxljusen under madonnan: två stilla, klara lågor. På en liten hylla under krucifixet tände hon en rökgubbe. I långa, blåa skyar ringlade röken fram under alkovens gardin, och luften blev tung av en stark, kryddad doft.

Madonnan strålade som en teaterdrottning, i rött, blått och guld; och stjärnorna på hennes mantel blinkade och tindrade i skenet från vaxljusen.

Martin frös av förtjusning.

Men Ida föll på knä framför madonnan. Hennes tjocka, mörkröda fläta lyste som blank koppar i ljusskenet. Hon mumlade något som Martin icke förstod, och hon gjorde besynnerliga åtbörder med händerna.

— Vad är det? frågade Martin. Varför gör du så?

— Tst! Det är vår religion.

Och Ida fortsatte inne i alkoven. Hennes stora, svarta ögon hade en tindrande glans. Men Martin kände sig så besynnerligt tung i huvudet.

— Kom hit och var med, bad Ida. Tycker du inte att det är vackert?

Martin satte sig på sängkanten och försökte göra efter Idas åtbörder. Men snart började han nicka. Huvudet blev så tungt, så tungt.

... Ute snöade det alltjämt, och kyrkklockorna ringde: bing bång, bing bång...

När herr Dupont kom hem, lågo barnen insomnade på sängen. Vaxljusen hade brunnit ned.

IV

Hösten gick fram över jorden, och i staden, där Martin bodde, stodo husen gråa och svarta av regn och rök, och dagarna blevo kortare. Men då eftermiddagen kom och skymningen föll på, satt Martin Bircks fader ofta vid brasan och såg in i elden. Han var icke längre ung. Han hade ett slätrakat ansikte med skarpa markerade drag, som en skådespelare eller en präst; och han hade ett sätt att le för sig själv utan att säga något, som ingav respekt och en viss känsla av osäkerhet. Men då han log på detta sätt, gällde hans löje i själva verket icke alls någon svaghet eller dårskap hos hans medmänniskor, ty det fanns ingenting satiriskt i hans lynne; han log bara åt en anekdot, som han läst i tidningen på morgonen, eller åt ett par hundar, som hade skällt på lejonen kring Karl XIII:s staty, då han på middagen gick genom torget på väg hem från sitt ämbetsverk. Ty Martin Bircks fader var tjänsteman. Och ehuru hans lön icke var stor och han icke heller hade någon enskild förmögenhet, förstod han likväl att ställa det så, att han med sin familj kunde föra en jämförelsevis sorgfri tillvaro; ty han hade endast smak för oskyldiga och enkla nöjen, och ingen fåfänga drev honom att söka umgänge med dem, som stodo över honom i förmögenhet eller rang. Han var son av en hantverkare; och då han någon gång tänkte över sin lott i livet, jämförde han den icke med sina förmäns eller sina förmögnare kamraters, utan erinrade sig i stället det fattiga hem, ur vilket han utgått. Och han fann då, att han var lycklig, och önskade blott, att den lycka han ägde aldrig skulle förmörkas. Han höll av sin hustru och sina barn och älskade ingenting i världen så högt som sitt hem. Då han var ledig från sina ämbetsgöromål, arbetade han gärna med sina händer. Han lagade bristfälliga möbler, och han förstod att nödtorftigt reparera den gamla köksklockan, som hade blomstermålningar på urtavlan och stora mässingslod på kedjor. Han förfärdigade också lustiga och sinnrika leksaker åt sina barn och små nätta prydnadsting åt sin hustru till hennes födelsedagar. Bland dem var ett litet tempel av vit kartong. Det var sirat med smala guldlister, och bakom en halvkrets av smärta kolonner fanns ett spegelglas, som tycktes fördubbla pelarnas antal. Till templets krön, som omgavs med en balustrad av marmorerat papper, ledde en spiraltrappa, också den av kartong och klädd med marmor; men i det nedersta trappsteget fanns det en liten låda, som kunde dragas ut. Och i denna låda hittade Martins moder varje år på sin födelsedag en hopvikt sedel eller ett litet smycke.

Han älskade också musik och sång. Han sjöng gärna Gluntar med en gammal studentkamrat, farbror Abraham, som stundom kom på besök; och han kunde fantisera vid pianot och efter gehör spela några stycken ur sina favoritoperor.

Men han läste sällan något annat än sin tidning.

Martin Bircks moder satt ofta, när skymningen föll på, vid pianot och spelade och sjöng. Hennes röst lät vackrare än alla andra röster. Hon sjöng visor, som ingen sjunger mera. Då stodo Martin och Maria bakom hennes stol och lyssnade förtjusta, och stundom försökte de sjunga med. Det var en visa om en soldat, som gömde en fältflaska, ur vilken han hade givit en döende prins att dricka på slagfältet. "Och prinsen drack ur den." Det var omkvädet. Och det var en annan visa om en herdeflicka, som vallade sin hjord i en dalgång mellan branta alper. Det hördes ett brak av en lavin, och flickan skyndade på sin hjord: "Spring på, spring på, mina lamm!" Och medan modern sjöng, gledo hennes händer över pianots gulnade tangenter; strängarnas klang hade en spröd glastimbre, och det suckade och klagade i pedalen. Men i basen låg en sträng brusten och surrade till då och då.

Och det kändes så ödsligt, då hon hade slutat att sjunga.

Martin drev av och an. Det var som om rummen bleve större och mera tomma, när skymningen föll på. Till slut vände han sig till mormor, som satt vid fönstret och läste i Dagbladet.

— Snälla mormor, tala om en saga, bad Martin.

Men mormor kunde ingen ny saga. Och de gamla hade Martin redan hört så många gånger. Mormor fortsatte att läsa i tidningen med glasögonen långt ner på näsan.

— Kors i herrans namn, sade hon plötsligt och såg upp över tidningen, har ni sett att en fröken Oldthusen är död?

— Nej, är hon död? sade Martins fader. Kunde det vara en syster till kanslirådet?

— Nej, herregud, det var hans faster, sade mormor. Hon hette Pella; Pella Oldthusen. Jag minns henne mycket väl, jag träffade henne i Vaxholm för många år sen. Det var en förbaskat kvick och rolig gumma; men hon hade tjyvorgan. Hennes bekanta brukade säga: "Kära ni, låt ingenting ligga framme i kväll, för Pella Oldthusen kommer hit!" Och så hade hon en flicka, som hon hade tagit upp. När den flickan skulle styras ut till första nattvardsgång, då stal fröken Oldthusen sin gamla jungfrus linneunderkjolar, som hängde i samma garderob som hennes egna kläder, och lät sy om dem åt flickan. Ja, det är Guds klara sanning, jag har själv hört det av en fru, som hade mycket väl reda på henne och hela släkten. "Kära fröken", sade jungfrun sedan, för hon hade tjänat hos fröken i många år och kände till hennes egenheter, "kära fröken, det har varit tjyvar i garderoben! Och tänk så ledsamt: de ha stulit alla mina underkjolar, men inte frökens, fast de hänga alldeles bredvid." — "Kan man tänka sig såna kanaljer", sa Pella. "Det var fasligt ledsamt; men jag kan ingenting göra åt den saken." Emellertid gav hon jungfrun

33

pengar till nytt linne en tid efteråt, för hon var förmögen och inte snål heller; men flickan fick gå till herrans heliga nattvard i de stulna kjolarna.

Martin och Maria lyssnade med vidöppna munnar. Så hade mormor ändå till slut berättat en saga. Och sådana sagor kunde hon många.

Fadern hade tänt en cigarr och flyttade sin stol närmare elden. Så vinkade han åt Martin och Maria:

— Kom, barn, nu ska vi leka.

Brasan hade nästan brunnit ner. Fadern bröt sönder två eller tre tomma tändsticksaskar, och av spillrorna byggde han ett hus längst fram i kakelugnen. Han satte också in en mängd tändstickor till pelare och bjälkar, och slutligen vek han en strut av ett stycke styvt papper; det var ett torn. I strutens spets klippte han ett hål till skorsten. Det blev ett ståtligt slott med pelargångar och spiror och torn, alldeles som Stockholms gamla slott i Dahlbergs Svecia. Och när det var färdigt, satte fadern eld i alla hörn.

Det fräste och gnistrade och brann.

— Nej se — å se, så det brinner! — Nu tar det eld i det bortersta hörnet. —— Nu brinner östra valvet, nu störtar det in! —— Och tornet brinner — tornet ramlar. ——

—— — Nu är det slut.

— Om igen, pappa, bad Martin, å, om igen! Bara en gång till!

— Nej, inte en gång till, sade fadern. Det är inte roligt andra gången.

Martin tiggde och bad. Men fadern gick bort till pianot och strök sin hustru över håret.

Martin blev sittande framför brasan. Det brände på kinderna, men han kunde icke slita sig därifrån. Det låg och glödde så grant där längst inne. Det glimmade och glödde och brann.

Till slut kom mormor och sköt spjället och stängde luckorna. Då gick Martin till fönstret.

Solen var längesedan borta. Det hade klarnat upp för en stund, men ännu drevo mörka skymassor fram i brutna led över himmelens tunna och glasaktiga blå. Långa raden låg i djup skymning. Trädgårdarnas lönnar och körsbärsträd stodo avlövade, och här och var glimmade redan ett ljus i ett fönster fram ur det dunkla kvistnätet. Nere på gatan gick lyktgubben och tände; han var gammal och krokig och hade en skinnluva, som gick långt ner i pannan. Nu kom han till lyktan mitt för fönstret, på andra sidan av gatan: när han tände den, lyste hela rummet upp. Den vita spetsgardinen tecknade sitt brutna mönster mot taket och väggen, och kallor, fuchsior och agapanthus målade fantastiska skuggor.

Det mörknade mer och mer.

Man kunde se så långt bort där uppifrån — långt bort över de låga gamla kvarteren med trähus och trädgårdar. Man kunde se Humlegården med taket av rotundan mellan de nakna gamla lindarna. Och längst bort i väster reste sig en grå kontur; det var Observatoriet på sin kulle.

Oktoberhimlens djupa och tomma blå blev mera djupt och mera tomt. Och i väster skiftade den i ett rött, som tycktes smutsigt av dimma och sot.

Martin ritade figurer med fingret på rutan, som började imma sig.

— Är det jul snart, mormor?

— Å, det dröjer, barn...

Martin stod länge med näsan tryckt mot rutan och stirrade på himmelen, en tungsint skymningshimmel med blekrött mellan gråa moln.

V

Men då lampan var tänd och man satt kring det runda bordet, var och en med sitt arbete, sin bok eller sin tidning, då gick Martin bort och satte sig i en

35

vrå. Ty han hade plötsligt blivit sorgsen, utan att han visste varför. Där satt han i mörkret och stirrade in i den rundel av gult ljus, inom vilken de andra sutto tillsammans och arbetade eller pratade, och kände sig utanför och övergiven och glömd.

Och det hjälpte icke, att Maria letade fram en gammal årgång av "När och Fjärran" för att visa honom Garibaldi och kriget i Polen och kejsar Napoleon med spetsiga mustascher; han hade sett det alltsamman, många gånger. Det hjälpte icke heller att hon gav honom ett stycke papper och lärde honom att vika saltkar, kråka och två båtar i lås; ty Martin längtade blott, utan att veta det, efter att någon skulle säga eller göra något, som kunde komma honom att gråta. Därför satt han butter och tyst och lyssnade till regnet, som piskade mot rutan; ty det hade börjat regna på nytt, och blåsten skakade fönsterglaset.

— Ja, hörde han plötsligt fadern säga till modern, du har kanske rätt i att vi borde försöka sälja pianot och köpa ett pianino i stället, på avbetalning. Det håller ju inte stämning i fjorton dar; och ett pianino är också en vackrare möbel.

Martin spratt till vid orden: sälja pianot. Han visste icke riktigt vad ett pianino var, men han trodde icke att det kunde vara ett riktigt piano; han föreställde sig snarare någonting med en vev. Och han trodde icke, att något annat instrument kunde låta så vackert som deras piano. Han var god vän med varje buckla och varje rispa i det röda mahognyfaneret, ty han hade själv gjort de flesta av dem, och han kände igen nästan varje tangent på dess särskilda färgton. Sälja pianot! Det lät för hans öron som någonting omöjligt. Det var nästan som om han hade hört föräldrarna i lugn ton sitta och tala om att sälja mormor och köpa en tant i stället.

Martin började gråta innan han själv visste av det.

— Mamma, sade Maria, Martin gråter!

— Varför gråter du, Martin? frågade modern.

Martin snyftade bara.

— Han är trött och sömnig, förklarade mormor.
Det är bäst att han får gå och lägga sig.

Medan Martin snyftande gjorde sin rond för att
säga godnatt, kom Lotta in med tebrickan. Hon hade
en mycket högtidlig min, då hon sade:

— Nu kan jag tala om för herrskapet att Häggbom
är död.

Det blev alldeles tyst i rummet. Martin slutade upp
att gråta.

Mormor knäppte ihop händerna.

— Nej, har han verkligen slutat nu, gick det så
hastigt... Herregud, har han slutat? Ja, det bränn-
vinet... Men det var nog bäst för honom att han fick
dö, fast det blir smått för madamen; han var ju
portvakt i alla fall och försörjde hustru och barn.

— Han dog precis klockan sju, sade Lotta.
Men då ingen svarade något, gick hon ut i köket
igen.

— Det är kanske så gott att man skickar ut en lista
bland grannarna och ställer till en liten insamling,
sade modern.

Martin skickades i säng. Modern satt på säng-
kanten och läste bönerna med honom; han slapp med
Gud som haver, ty han var så trött. Eljest brukade
han också läsa Fader vår och Herren välsigne oss.

Martin låg länge vaken och lyssnade till regnet,
som plaskade mot fönsterblecket; ty han var icke alls
sömnig, han hade bara sagt så för att slippa läsa de
långa bönerna, som han icke förstod. Ty det är omöj-
ligt för ett litet barn att förbinda någon som helst fö-
reställning med vändningar sådana som "helgat varde
ditt namn" eller "tillkomme ditt rike". Han låg och
tänkte på Häggbom och undrade, om han kunde kom-
ma till himmelen. Han luktade ju alltid brännvin.

Martin var mörkrädd. Då Lotta kom in med ett tänt ljus för att ordna något i rummet, bad han henne att låta ljuset stå.

— Martin skall sova, sade Lotta, annars kommer Häggbom och biter honom.

Och hon gick ut och tog ljuset med sig.

Martin började gråta på nytt. Blåsten visslade i fönsterspringorna, då och då slog en port igen med en skräll, och en hund tjöt därute. Innan modern drog ned gardinen, tyckte Martin att det var ett rött sken på himlen. Kanske elden var lös på Söder...

Det var buller och bråk ner på gatan. Fulla människor, som kommo ut från krogen —— slag och skrik. —— Tunga steg mot gatläggningen, någon som sprang och någon som förföljde — och rop på "polis, polis!"

Martin drog täcket över huvudet och grät sig i sömn.

VI

Den vita vintern kom med bjällerklang och snö och isblommor på rutan. Det är döda sommarblommor, som gå igen, sade Martins mor. Granskogarna där ute på landet drogo från mörkret och ensligheten in till stadens gator och torg, och då julens klockor ringde in helgen, stod där också i Martins hem en mörk och försagd gran och doftade av skog, tills kvällen kom, och den stod tindrande av ljus, vita ljus och färgade ljus, och full av röda vinteräpplen och konfekt med deviser, som voro så dumma att till och med Martin och Maria kunde förstå hur dumma de voro. All julens härlighet drog förbi, det var som att vända bladen i en bilderbok, och då nyårsnattens stjärna brann över de vita taken och man sade varandra godnatt och tack för i år, tänkte Martin med en frysande känsla på den rad av gråa vinterdagar som väntade och som han icke kunde se något slut på; ty det var så ändlöst långt till sommaren, och ännu längre till nästa jul. Nyårsmorgonen väcktes han, medan det ännu var mörkt, för att gå i ottan. Yrvaken kravlade han genom snön vid sina föräldrars sida, och då man kom förbi hörnet stod Ladugårdslandskyrkan där som en jättestor lykta och sken ut över det vita torget, där människorna från alla håll krälade fram över snön. I kyrkan var det orgelbrus och sång och många tindrande ljus, och Martin kände sig lycklig och god och tänkte, att detta just var rätta sättet att börja det nya året; och då prästen började predika, somnade han strax. Men då han vaknade, sken redan gryningens bleka dager in genom fönsterna i kupolen, och modern ruskade på honom och sade: — Nu ska vi gå hem och dricka kaffe.

Så gick man då hem med hjärtat fullt av de vackraste föresatser; ty Martin förstod av sig själv, att det var någonting sådant prästen hade predikat om. Och fram på förmiddagen skickades Martin och Maria omkring på nyårsvisiter till morbror Janne och moster Lovisa och till tanter och farbröder och blevo bjudna på kakor och vin och konfekt ur julgranarna. Men hos farbror Abraham fanns det ingen julgran, ty han var änkling och hade inga barn utan bodde ensam med en gammal hushållerska. Farbror Abraham var doktor och hade många gånger kurerat Martin och Maria för mässling och scharlakansfeber och ont i bröstet. Han hade ett svart skägg och en lång, krokig näsa; ty han var jude. Han hade också en papegoja, som kunde svära på franska, och en svart katt. Denna katt hette Kolmodin; och han var den klokaste katt i världen, ty då han stod utanför tamburdörren och ville komma in, jamade han icke som andra kattor bruka, utan reste sig på bakbenen, spände klorna i klocksträngen och drog i den mycket hårt.

Då Martin och Maria denna nyårsdag kommo för

att önska farbror Abraham ett gott nytt år, satt han ensam med en flaska vin på bordet och spelade schack med sig själv.

Rummet var stort och halvskumt och fullt av böcker. Ute föll snön i stora flockar. Farbror Abraham stoppade deras fickor fulla med namnam och lät papegojan svära på franska och var mycket vänlig; men han sade icke mycket, och framför elden, som glödde i kakelugnen, satt katten Kolmodin och stirrade dystert på sin herre. Martin och Maria sutto tysta och sågo på varandra och kände sig beklämda. Ty de hade mer än en gång hört föräldrarna säga, att farbror Abraham inte var någon lycklig människa, och att han aldrig var riktigt glad.

VII

Så var då det nya året inne. Den almanacka, som Martin hade givit sin far i julklapp, hade röda pärmar, medan den gamla hade blå. Och Martin fann med förundran och missräkning, att detta var den enda skillnad han kunde se mellan det nya och det gamla året, att dagarna gingo som de förr hade gått, med klockringning och snö och mulen himmel, med leda vid de gamla lekarna och de gamla sagorna och med längtan efter att bli stor. Den tiden längtade han efter, men fruktade den också. Ty modern hade så ofta pekat på lumpgubben, som hade sett bättre dagar, och sagt, att om Martin inte ville äta upp sin välling eller sin ölsupa och eljest vara en snäll och duktig gosse, så skulle han komma att bli just en sådan lumpgubbe när han blev stor. Men när modern talade så, då snördes hans bröst samman, och han såg sig själv i skymningen smyga in genom porten med en påse på ryggen och peta i soptunnan med en svart käpp, medan far och mor och syster och mormor sutto tillsammans kring lampan som förr. Ty det föll honom aldrig in att tänka, att hans hem kunde upplösas och skingras.

Det föll snö, mycket snö. Drivorna växte, och det blev gnistrande kallt. Martin fick hålla sig inne med abcbok och multiplikationstabell, med färglåda och sprattelgubbar och alla de redan vissnande härligheter som julen lämnat efter sig. Men bland sprattelgubbarna fanns det en, som hette Röda Turken, och som han höll mera av än de andra, ty farbror Abraham, som hade givit honom den, hade sagt, att det var den lustigaste sprattelgubbe i hela världen. — Ser du, sade han en kväll, i och för sig är det ju varken lustigt eller märkvärdigt, att en pappgubbe sprattlar, när man rycker i trådarna. Men Röda Turken är inte någon vanlig pappgubbe, han kan tänka och tycka alldeles som vi. Och när du nu rycker i trådarna och han börjar sprattla, då säger han till sig själv: Jag är en varelse med fri vilja, jag sprattlar alldeles som jag vill och uteslutande för mitt eget nöje; hejsan, det finns ingenting så roligt som att sprattla! Men när du slutar upp med att rycka i tråden, då tror han att han är trött och säger till sig själv: Jag ger katten att sprattla mera, det skönaste som finns är att hänga på en krok på väggen och vara alldeles stilla. — Ja, det är den lustigaste sprattelgubbe i världen!

Martin förstod icke mycket av detta, men han förstod att Röda Turken var rolig och satte mera värde på honom än förut.

Så gingo dagarna, och med Trettondagen började de små familjebjudningarna med julgransplundringar och skuggspel och dockteater och laterna magica med brokiga bilder på ett spökaktigt vitt lakan. Men på hemvägen gnistrade stjärnorna, och fadern pekade på himmelen och sade: Där är Vintergatan, och där är Karlavagnen.

VIII

Men en morgon, då Martin vaknade, såg han att himlen lyste med ett ljusare blått än den gjort på mycket länge och att det droppade från taken och från päronträdets nakna kvistar. Och medan han satt upprätt i sängen och såg ut mot detta ljusa blå, kom Maria in med ett ris, som tycktes blomma i hundra färger, men det var icke blommor, det var brokiga fjädrar, och hon smällde på honom med riset och dansade och sjöng att det var fettisdag och att hon hade lov från skolan, hurra! Och att det skulle bli semlor med mandelmassa inuti till middagen.

Och de togo fjädrarna ur riset och klädde ut sig med dem och lekte indianer och vita; men de voro indianer bägge två.

Men riset tog modern, och hon satte det i fönstret i en kruka fylld med vatten, mitt i solskenet. Ty kammaren låg åt öster, och där var morgonsol. Och se, det gick icke många dar, innan det kom fram små brungröna knoppar här och där på kvistarna, de svällde och blevo större, och en dag hade de slagit ut och förvandlats till veckiga, ljusgröna blad, hela riset grönskade, och nu var det vår.

En eftermiddag föll det en strimma sol in i salen, som låg åt väster.

— Se solen, barn, sade modern. Det är vår första eftermiddagssol i år.

Solstrimman föll på ljuskronans slipade glasbitar, den bröts och strödde regnbågsfärgade fläckar runt omkring i rummet, på möbler och tapeter. Fadern gick just genom salen; han satte de trekantiga glasbitarna i rörelse med ett litet slag av sin hand. Det blev ett virrvarr och en dans kring väggarna av de brokiga fläckarna, en dans som av fladdrande fjärilar. Martin och Maria började en jakt efter dem. De sprungo sig röda och varma och slogo händerna mot väggarna, och när de sågo en solfläck teckna sig mot handen i stället för mot tapeten, skreko de i förtjusning: — Nu har jag honom!

Men i nästa sekund gled han undan, solstrimman bleknade efter hand, och fjärilarna tröttnade att fladdra och lysa och blevo borta — Martin såg den sista av dem slockna på sin hand.

Men nej, det var icke vår ännu.

Åter föll det snö, våt snö som smälte strax och strax var smutsig, åter ringde klockorna i den svarta kupolen under en grå himmel, och det var långfredag. Martin och Maria voro i kyrkan, men de fingo icke sitta hos sina föräldrar, ty deras föräldrar sutto långt borta i koret bland en mängd av svartklädda och allvarliga människor; de voro också svartklädda själva, fadern i frack och vit halsduk, och allt var svart: det röda på predikstolen och altaret var borta, och det var svart i stället, prästerna hade svarta mässkåpor, ett svart kors reste sig hotande ur altartavlans blyfärgade moln längst borta i korets skymning, och svartgrå låg himlen och stirrade in genom kupolens valvfönster. Martin kunde icke somna som vanligt, ty allt var så hemskt, koralen klagade och kvidde, prästen såg dyster och elak ut och talade om blod, och en hund tjöt därute på kyrkogården...

Martin var förtjust över allt detta, ehuru han icke visste det.

Nej, våren, den riktiga våren... Den kom först när de kungliga körde ut till Djurgården i guldspann och plymascher. Hur sken icke allt den dagen, hur lyste det icke av blått och sol och vår kring skorstenarna och taken, kring tuppen på kyrktornet! På Martins gata blommade redan lönnarna, och över de lutande planken svävade skyar av vit blom, körsbärsblom och hagtorn. På torget och Storgatan vimlade det av folk, hela staden var ute i ljusa och brokiga kläder, och framför Livgardeskasernen stodo de ljusblå livgardisterna, som Martin älskade och vördade, på post med dragna sablar. De kungliga körde förbi i en sky av plymer och guld, folket hurrade och Martin hurrade med, och så gick man ut på Djurgården för att dricka saft och vatten på Bellmansro. Runt omkring gnällde fioler och positiv, och Martin kände sig fullkomligt lycklig. Men på hemvägen stannade man ett ögonblick för att se på Kasperteatern. Det började redan skymma över slätten, men ännu skockade sig folket samman kring dockteatern, där Kasper just höll på att slå ihjäl sin hustru. Martin tryckte sig hårt intill sin mor. Han såg munnar öppna sig till breda skratt runt omkring, i halvskymningen, han förstod ingenting, men ljudet av träpåkens slag mot dockans huvud skrämde honom — skrattade man åt att den elake mannen därborta slog sin hustru? Så kom fordringsägaren, också honom slog Kasper ihjäl, polisen och djävulen hanterade han lika illa, tills äntligen Döden narrade honom ner i sin kittel, och det var slut. Martin kunde icke skratta och icke heller gråta, han endast stirrade häpen och skräckslagen in i denna nya värld, som var så olik hans egen. På hemvägen var han frusen och trött. Solen var borta, och det mörknade mer och mer; kungen hade för längesedan åkt hem till sitt slott, fulla människor knuffades och skrålade runt omkring. Vitsipporna, som Martin hade plockat i skogskanten, voro vissna, och han kastade bort dem att trampas ned i smutsen.

Men då man äntligen var hemma och det var natt och Martin låg i sin säng och sov, drömde han, att fadern slog modern i huvudet med en stor påk.

IX

Sommarhimmel och sommarsol, ett vitt hus mellan gröna träd...

I det vita huset hade Martins föräldrar hyrt några låga rum med rankiga vita möbler och med de blåaste

44

rullgardiner i världen för de små fyrkantiga fönstren. Tätt förbi dessa fönster strök kronans landsväg fram. Här drogo ständigt forbönder och vägfarande från Mälaröarna fram på väg till och från staden, och alla stannade de här för att betala bropengar, ty det vita huset var brovaktarens hus och låg just vid landfästet till Nockeby bro. Och brovaktaren satt varje kväll på sin förstukvist, som var omslingrad av humlerankor, och drack toddy och räckte fram sin sparbössa åt de vägfarande och pratade och ljög, ty han hade varit sjökapten och rest i många främmande länder. Men nu var han en liten vithårig gubbe och hade i många år haft bron på arrende och var en välbärgad man.

Men på aftonen första dagen, då packlårar, koffertar och klädkorgar ännu stodo huller om buller i rummen, som sågo en smula främmande ut ännu, men där varje skåp och stol och varje blomma i tapeten tycktes säga: vi bli väl snart bekanta — och medan kvällsvarden med smör och ost och några små stekta fiskar stod dukad vid fönstret, satt Martin tyst på kanten av en kista och betraktade den främmande och nya tavlan: den grå landsvägen med telegrafstolparna, i vilka vinden sjöng, och hästarnas, kärrornas och böndernas mörka skuggfigurer mot den grönblå västerhimlen. Men snett över vägen, ett stycke åt sidan, var det en backe med en grupp av ekar, vilkas grönska stod mäktig och tung i sommarkvällens skymning, och bland dessa ekar var det en, som stod naken och svart och icke kunde grönska som de andra, och i dess grenar hade kråkorna byggt bo.

Martin kunde icke taga sina ögon från det svarta trädet med kråkboet mellan grenarna. Han tyckte att han kände detta träd, att han hade sett det förr, eller hört en saga om det.

Och han drömde om det på natten.

Sommarhimmel, sommardagar. Gröna ängar, gröna träd . . .

Ängarna stodo fulla av blommor, och Martin och Maria plockade dem och bundo dem till buketter åt sin moder. Och Maria sade till Martin: Akta dig för ormarna! Om du trampar på en orm, så tror han att du har gjort det med flit, och så biter han dig. Då trampade Martin så försiktigt han kunde i det höga gräset. Och hon lärde honom också, att det var en stor synd att plocka den vita smultronblomman, ty det var den som det blev smultron av. Och de kommo överens om att den som först fick se en smultronblomma skulle säga: Fri för den! — Och den som hade sagt "fri" för en blomma skulle få plocka bäret när det blev moget. Men när de kommo till ekbacken, då var där alldeles vitt av smultronblom under ekarna; Maria var den första som såg det, och hon ropade strax: — Fri för allihop! Men då hon såg att Martin inte längre såg riktigt glad ut, föreslog hon strax att de skulle dela skatten; och så drogo de i tanken ett streck från ett träd till ett annat och delade på så sätt hela ekbacken i två delar. Till höger om strecket var det Marias smultronställe, och Martins var till vänster. Därefter satte de sig ned under en ek i skuggan och ordnade sina blommor så som de tyckte att det passade bäst; och Maria lärde Martin att sticka in det fina hjärtformiga darrgräset överallt bland prästkragar och smörblommor och att binda ihop buketten med långa strån. Men Martin tröttnade snart på sina blommor, ty han hade glömt att han hade plockat dem för att ge dem åt sin moder, och han lät dem ligga i gräset och lade sig själv på rygg mitt ibland dem och såg på skyarna, som drevo fram över den blå himlen högt över hans huvud. De liknade vita hundar; små lurviga, vita hundar. Det var kanske också små hundar. Då människorna dö, komma de ju till himmelen; men hundarna, som inte ha någon riktig själ, kunna väl inte komma så högt upp. De få springa utanför och leka med varandra. Men deras herrar komma nog ut till dem ibland, och då hoppa de små hundarna upp

på sina herrar och slicka dem och bli så glada...
Vita skyar, sommarskyar.

Men det roligaste av allt, det var den långa bron och sjön och alla ångbåtarna, som blåste redan på långt håll för att bron skulle öppna sig och släppa dem igenom. Martin lärde sig snart att känna igen dem alla: Fyris och Garibaldi, Brage, som aldrig gjorde sig någon brådska, den vackra blåa Tynnelsö och den bruna Enköping, som kallades kaffebrännaren, emedan den puttrade som då man bränner kaffe. Varje båt hade för honom sitt särskilda ansiktsuttryck, så att han på långt håll kunde skilja den från de andra. De hjälpte honom också att hålla reda på tiden. Då Tynnelsö låg i brohålet, var det tid att gå hem och äta frukost; och då Runan blåste med sin hesa hals, då var Brage inte långt borta, och med Brage kom pappa från staden. Så var det också bogserbåtarna med sina långa rader av pråmar; dessa pråmar brukade ofta fastna i brohålet, och ingenting i världen var så roligt som att då höra pråmkarlarna svära. Men de dagar då sjön gick grön med vitt skum och vågorna stänkte högt upp över bron, då kunde inga ångbåtar tävla med rospiggarnas skutor om första platsen i Martins hjärta. I varje skutskeppare såg han då en hjälte, som trotsade vågorna och stormen för att nå något okänt och hemlighetsfullt mål; ty det föll honom aldrig in att tro, att de bara seglade till Stockholm för att sälja den ved, det hö eller de lerkärl som de hade ombord. Dessa saker behagade honom likväl icke riktigt, ty han kunde icke hindra att de mot hans vilja ingåvo honom en dunkel misstanke om en eller annan lumpen biavsikt hos skepparen, och han tyckte i djupet av sitt hjärta mest om de skutor, som kommo tomma från staden. De dansade också käckast över vågorna, och de styrde bort mot trakter, där Martin aldrig hade varit, långt förbi Tyska Botten och Blackeberg — och där gick gränsen för den kända världen.

47

Där var det också solen gick ned varje kväll i ett rött och skimrande förlovat land. Martin var fullkomligt viss om att det var just där den gick ner, strax bakom udden, och inte på något annat ställe. Han såg det ju så tydligt. Likväl föreställde han sig icke, att de som bodde där borta fingo se solen på riktigt nära håll, eller att de behövde vara rädda för att få den i huvudet. Om en annan gosse hade kommit till honom och sagt honom något sådant, skulle Martin ha tyckt att han var mycket dum. Ty det är med barnen alldeles som med de vuxna: de göra sig ofta de besynnerligaste föreställningar om världen; men om någon kommer och drar ut konsekvenserna av deras idéer, säga de att han är mycket dum, eller att det är opassande att skämta om allvarliga saker.

Sommartiden, smultrontiden...

På den tiden var sommaren annorlunda än nu. Den var en lycka, som fyllde dagen och aftonen och trängde ända in i nattens drömmar, och morgonen var lyckan själv. Men en morgon vaknade Martin tidigare än vanligt, och då han hörde en liten fågel kvittra i ligusterhäcken utanför fönstret och såg att solen sken, reste han sig upp i bädden och ville klä på sig och gå ut. Då kom hans moder och sade, att han skulle ligga stilla ännu en liten stund, ty det var hans födelsedag, och Maria höll på med någonting därute, som han inte fick se förrän det var färdigt. Och hon kysste honom och sade, att han fyllde sju år och att han skulle vara riktigt flitig och snäll i sommar, så att han inte skulle behöva skämmas för de andra gossarna i höst, när han skulle börja skolan. Men då Martin hörde ordet *skolan,* glömde han fågeln, som kvittrade i häcken, och solen som sken, och han kände det så trångt i halsen som om han måste gråta; men han behärskade sig och grät icke. Han visste inte riktigt klart vad en skola ville säga; men det lät så elakt och hårt. Hans moder höll visserligen skola med honom och Maria, men det var bara en liten stund var dag nere i trädgården, i syrenbersån, och där fladdrade fjärilar, både gula och vita och blå, och humlorna surrade, medan hans moder berättade sagor för honom om Josef i Egypten och om kungar och profeter och lärde honom att forma bokstäver efter en förskrift. Och han förstod att en riktig skola måste vara något helt annat. Men medan han var bekymrad i sitt hjärta över att han skulle börja skolan på hösten, kommo de alla in och gratulerade honom för att det var hans födelsedag, pappa och mormor och Maria, och Maria gjorde sig till och neg och sade: Jag har den äran att gratulera! Men Martin skämdes och blev röd i ansiktet och vände sig mot väggen.

Då lämnades han ensam. Men det dröjde inte länge förrän mormor stack in huvudet och ropade, att kungen kom ridande med femton generaler för att gratulera Martin, och i detsamma hörde han ett mullrande över bron som om åskan gick. Då sprang han ur sängen och kastade på sig sina kläder, men bullret kom närmare, det stod en sky av damm över vägen, hästarnas hovar dånade mot marken och bron, och det blixtrade av blanka vapen. Då han kom ut på verandan, hade de främsta redan hunnit långt förbi, men Martins moder tröstade honom med att kungen inte var med. I stället var det nästan hela hans krigshär, ty det skulle vara fältmanöver i Drottningholmstrakten. Det var husarer och dragoner och hela artilleriet från Stockholm, och artilleristerna skakades som potatissäckar på sina kärror och voro gråa och svarta av damm och smuts. Men Martin beundrade dem ännu mera på det sättet och undrade för sig själv, om det inte var ännu bättre att vara artillerist än att vara skutskeppare.

Men krigsmakten drog förbi och blev borta, det kom en frisk vind från sjön och tog med sig den lukt av smuts och svett som den hade lämnat kvar, och då Martin vände sig om, stod där bredvid frukostbordet

49

ett särskilt litet bord dukat åt honom, och Maria hade klätt det med blommor och gröna blad. Då skämdes han återigen och blev röd, men han blev också mycket glad, ty mitt på bordet stod en kaka, som hans mor hade bakat åt honom, och en stor tallrik full med smultron, som Maria hade plockat under ekarna, och en tjugufemöring från pappa och ett paket med strumpor som mormor hade stickat. Men av allt detta tyckte Martin mest om tjugufemöringen. Ty han hade redan lärt sig förstå att ett par strumpor, det är ett par strumpor rätt och slätt, och en kaka är en kaka; men en tjugufemöring, det är ett obestämt antal uppfyllda önskningar i vilken riktning som helst inom en viss gräns, och hur trång den gränsen var hade erfarenheten ännu icke lärt honom.

Och Martin gick omkring och tackade alla och smakade på kakan och smultronen och såg att strumporna voro rödrandiga och vackra och gömde tjugufemöringen väl i en tändsticksask, som han hade till kassaskrin, och där det låg ett par gamla kopparslantar förut och några små stenar, som han hade letat ut i sanden och gömt, därför att de voro så vackra.

Så blåste Brage vid Tyska Botten, och pappa måste fara till staden; men Martin fick gå med mamma och mormor och Maria till Drottningholm. Där låg kungens vita sommarslott och speglade sig i den blanka viken, och träden i parken voro större än alla andra träd, och skuggan under dem var djup och sval. Och över dammarnas och kanalernas mörka vatten gledo de vita svanarna fram med stelt sträckta halsar, och Martin trodde icke att de bekymrade sig om någonting annat i världen än sina egna vita drömmar.

Men mormor hade ett franskt bröd med sig, och hon bröt det i smulor och matade dem som man matar höns.

Sommardagar, lyckodagar, blåklint i den gula rågen ...

Det var nära vid skördetiden, och Martin gick på vägen med sin moder, Maria gick på hennes andra sida och tog då och då en blåklint ur rågen. Men modern hade en skär klänning och en halmhatt med stora brätten, och hon talade med dem om människorna och världen och om Gud.

— Ser du, Martin, sade hon, där står just det tunga och det lätta axet, som vi läste om häromdagen i bersån. Du minns, det fulla axet, som böjde sitt huvud så djupt mot jorden, därför att det hade så många sädeskorn att bära på. Men sädeskornen mal man till mjöl i kvarnen, och av mjölet bakar man bröd, och brödet är gott att äta när man är hungrig. Men det tomma axet är till ingen nytta; bonden kastar bort det eller ger det åt sin häst att tugga på, och det blir hästen inte fetare av. Och ändå reser det sig så stolt i höjden och ser ned på de andra axen, som stå och bocka sig runt omkring.

Och modern bröt av det stolta, lätta axet och visade Martin att det var alldeles tomt.

— Sådana äro många bland människorna, sade hon. Det kommer du att få se när du blir stor. Då får du också se människor, som gå och hänga med huvudet för att man skall tro, att de höra till de fulla axen. Men de äro just de allra tommaste.

Men ni skall också komma ihåg, barn, att det inte tillhör er att avgöra, varken nu eller när ni bli stora, om en människa hör till de fulla eller de tomma axen. Sådant kan en människa aldrig riktigt veta om en annan. Det vet bara Gud.

Då modern talade med Martin om Gud, kände han sig på en gång högtidlig och litet generad, ungefär som en liten hund, då man försöker prata med honom som med en människa. Ty när han hörde sin mor berätta om paradiset och Noaks ark, då kunde han mycket väl följa med och såg det alltsammans så tydligt för sina ögon, både äppelträdet och ormen och alla djuren i arken; men vid ordet *Gud* kunde han icke föreställa sig någonting bestämt, varken en gammal gubbe eller en medelålders herre med mörkt skägg. Högst uppe i det blå valvet i Ladugårdslandskyrkans kupol satt ett stort, målat öga, och modern hade sagt att det var en sinnebild av Gud. Men det ensamma ögat föreföll Martin så hemskt och sorgligt; han vågade knappt se på det, och det hjälpte honom icke alls att förstå, hur Gud i verkligheten såg ut. Han hade också fått lära sig utantill de tio buden, som Gud hade skrivit upp åt Moses på Sinai berg. Men de kunde blott styrka hans hemliga misstanke om att Gud var någonting som egentligen bara angick de fullvuxna. Aldrig kunde det vara till Martin som Gud talade, då han sade: "Du skall inga andra gudar hava för mig." Martin visste varken hur en avgud såg ut eller hur man skulle göra för att dyrka honom. Att han skulle hedra sina föräldrar föll ju av sig självt. Han kände icke heller någon frestelse att dräpa, eller att stjäla, eller att begära grannens jungfru, oxe eller åsna. Och han visste inte alls hur han skulle bära sig åt för att göra hor; men han föresatte sig att försöka akta sig för det i alla fall, för säkerhets skull.

— Gud vet allt, både det som nu sker och det som kommer att ske. Han har själv bestämt det alltsammans. Och när du ber till Gud, Martin, skall du inte tro, att du med dina böner kan förmå honom att ändra en prick i sina beslut. Men Gud tycker ändå om att man ber till honom, och därför skall du göra det. Du skall aldrig sluta upp med att läsa din aftonbön var kväll innan du somnar, om du blir aldrig så stor och förståndig. Men när du blir stor och skall reda dig på egen hand i världen, då får du aldrig glömma, att du först och främst måste lita på dig själv. Gud hjälper bara den som hjälper sig själv. Och om det en gång i livet händer dig, att det är någonting som du rätt innerligt önskar dig, så att du tycker att du aldrig kan vara glad mera, om du inte får det — då skall du inte be till Gud att han ger dig det. Försök hellre att skaffa dig det själv; men om det är möjligt, så bed honom om styrka att försaka det du önskar. Han tycker inte om andra böner.

Så talade Martin Bircks moder, medan de gingo på vägen. Och sommarens vind susade omkring dem och strök fram över fälten, och säden gick i vågor.

Men brovaktaren, gubben Moberg, hade en dräng vid namn Johan. Johan var fjorton eller femton år och blev snart Martins bästa vän. Han skar pilbågar och barkbåtar åt Martin, och Martin hjälpte honom att veva upp bron. Om kvällarna, då han var ledig, brukade han också leka "dunk" eller "ingen rövare finns i skogen" med Martin och Maria och några andra barn. Men det var varken för barkbåtarnas eller lekarnas skull som Martin höll så mycket av Johan och beundrade honom så gränslöst. Det var för att Johan alltid hade så mycket underliga saker att berätta om, saker som pappa och mamma och mormor aldrig talade om. Det var i synnerhet i mörkningen Johan brukade bli meddelsam, då Martin och han sutto tillsammans på en bjälke vid brohålet och väntade på en ångbåt, som skulle komma, och vars lanternor förr eller senare sköto fram bakom udden, den gröna först och sedan den röda. Då kunde Johan tala om både ett och annat. Än var det om gubben Moberg, som brukade se små, små djävlar hoppa upp och ner i toddyglaset, upp och ner; och det var dem han pratade med, när han satt och muttrade för sig själv och rörde om i glaset. Men med prästen i Lovö var det ännu värre fatt. Se han var riktigt god vän med hin onde, det visste hela socken. Det kunde man ju också förstå av sig själv, om man tänkte rätt på saken; hur skulle han annars kunna stå i predikstolen och predika som han gjorde i en hel timme, var fick han alla sina ord ifrån? För resten hade Johan en gång haft ett ärende till honom och varit ända inne i hans rum, och han hade med sina egna ögon sett, att det var proppfullt med böcker från golv till tak. Ja, nog var den i kompani med fan! — Eller han berättade om en som hade blivit mördad på landsvägen för tre år sedan, alldeles där i närheten, och han beskrev stället så noga: Det var just där skogen står så tät på ena sidan, och på den andra står ett pilträd bredvid en telegrafstolpe. Det var en kväll i november det hade skett, och gick man förbi det stället vid den rätta tiden, då kunde man tydligt höra hur det jämrade sig i diket. ——— Men de fick aldrig fatt på den som hade gjort det.

När Martin hörde sådant, klämde han sig hårt fast vid Johans arm, och han kände sig lättare om hjärtat, då ångbåtens lanternor lyste fram ur mörkret och närmade sig och då han hörde maskinens dunk-dunk och kaptenens kommandorop och de måste skynda sig att veva upp bron. Och när de följdes åt hem över bron, voro de bägge upphetsade av tankar på spöken och mord, och Johan sade till Martin:

— Hör, han är visst efter oss!

Martin visste inte om han var mördaren eller den mördade, men han trodde sig höra steg på bron och tordes inte vända sig om. Men Johan, som hade ett glatt lynne, skingrade hans rädsla genom att stämma upp en lustig visa, och han sjöng på melodien "det satt en kärng på Konhams torg":

"Jag går mot döden vart jag går,
killivillivippombom!"

Och Martin stämde i och sjöng med.

Men när de kommo fram till brovaktarens hus, tystnade Johan, och Martin sjöng ensam med full hals:

"Jag går mot döden vart jag går,
killivillivippombom!"

54

Men brovaktaren, gubben Moberg, satt på sin förstukvist, som var omslingrad av humlerankor, och drack toddy med två bönder vid skenet av en rund kinesisk lykta. Och han var en gammal man och drack toddy varje kväll, och man sade, att han inte kunde ha lång tid kvar. Men han ville så ogärna dö. Och om han hörde någon tala om sjukdom och död, var det som om man hade sagt någonting oanständigt, eller det var mycket värre, ty oanständigt tal sårade icke alls hans öron, utan kryade upp hans humör. Men då han nu såg Martin komma på vägen och hörde honom sjunga en dödspsalm på en fräck gatvisas melodi, då reste han sig och gick med vacklande steg ett stycke fram på vägen och stannade framför Martin. Martin stannade också och tystnade strax och såg sig om efter Johan, men Johan var försvunnen.

Men gubben Moberg hade blivit blåblek i ansiktet och han darrade på rösten då han sade:

— Och det där skall vara ett bättre mans barn! Jag får säga, att det är besynnerliga tider.

Därefter gick han in i huset utan att varken dricka ur sin toddy eller säga godnatt åt bönderna och gick till sängs.

Men Martin stod ensam kvar på vägen, och det hade med ens blivit så tyst omkring honom. Han hörde bara ljudet av böndernas käppar, som de stötte hårt mot vägen, medan de gingo bort i mörkret utan att säga något.

Men Martins föräldrar hade hört alltsammans från verandan på sidan av huset.

— Martin, kom in!

Martin var så röd som hans halslinning var vit. Nu skulle han redogöra för vem som hade lärt honom att sjunga så där. Men han sade, att han hade hittat på det själv. Fadern förklarade för Martin, hur förskräckligt illa han hade burit sig åt, och Martin grät och skickades till sängs. Hans mor grät också, då hon läste bönerna med honom. Hon var upprörd och för-

skräckt. Ty barnens brott bedömas, liksom de full-
vuxnas, mera efter den skandal de ha gjort än efter
deras egen inre beskaffenhet; och Martins brott hade
gjort en förskräcklig skandal.

Sommarens vackraste dagar hade gått. Om dagen
var det regn och blåst, och sjön gick grön. Och i
skymningen flaxade kråkorna kring ekbacken med det
nakna trädet.

När det regnade, fick Martin läsa "Biet och du-
van" och "En padda såg en tjur, vad hände". Och
han läste också om "Litens resa till Drömmestad":

"Små guldfiskar, en långan rad,
vimla i silvervatten.
Liten åker till Drömmestad,
kommer nog fram till natten.
Snart, snart
drömmarnas hus
skimra i månskenskvällen.
Klart, klart
tindrande ljus
skymta på tusen ställen.
Slupen glider, det går mot land,
lyktorna hela raden
stå bland vimmel och sorl på strand,
klockorna slå i staden."

―――――――――――

―― Staden. Martin fick tårar i ögonen. Han
hade ofta tänkt på staden den sista tiden och undrat
om allting var sig likt därhemma. Ty om vintern läng-
tade Martin efter sommarens gröna gräs och smultro-
nen i skogen; men då en rad av sommardagar hunnit
gå och grönskan icke längre var ny och maskrosorna
på gräsplanen stodo gråa av landsvägens damm, då
drömde han åter om stadens tindrande lyktrader, om
julen och snön och om vinterdagens gråskymning
framför den tända brasan.

X

Årets hjul det rullade runt, och det blev åter höst. I staden var det så mycket nytt. "Långa raden" var borta med sina trädgårdar och skjul; i stället reste sig där ett stort tegelhus i höjden, högre för varje dag, och skymde bort både Humlegårdens lindar och Observatoriet på sin kulle. Överallt rev man ned och byggde upp, och i Ladugårdslandets berg och backar knallade dynamiten varje dag; men Ladugårdslandet skulle nu heta Östermalm. Och madam Häggbom hade blivit fru. Om någon kallade henne madam, svarade hon hövligt men bestämt: Det dammar inte!

Martin gick i skolan; men det var en liten beskedlig skola och inte alls så farligt som han hade trott. Det var bara att lära sig sina läxor, så gick det ju bra. Och Martin kände med stolthet sin kunskap om världen vidgas med varje dag. Rummet och tiden flyttade dagligen sina gränsmärken allt längre ut under hans ögon: världen var mycket större än han hade drömt och så gammal att tanken hisnade inför årens mängd. Såg man framåt, då hade tiden inga gränser, då löpte den bara ut i en svindlande blå oändlighet; men följde man den tillbaka, då fanns det åtminstone där långt borta i mörkret en begynnelse, en punkt där man måste stanna: fyra tusen år före vår frälsares födelse hade Gud skapat världen. Det stod tydligt och klart i Martins bibliska historia, på första sidan.

Och på sex dagar hade han skapat den. Men läraren sade, att dagarna voro längre på den tiden.

Men om också skapelsedagarna kanske voro litet längre än andra veckodagar, så var det i stället alldeles tvärtom med Methusalems niohundrasextionio år. Se, på den tiden räknade man inte så långa år som nu, sade läraren.

Det var så mycket nytt att lära och förstå, och skolan hade i verkligheten inga av de fasor, med vilka Martin hade styrt ut den i sin fantasi.

57

Men till gengäld var vägen dit och därifrån uppfylld av alla slags faror och äventyrligheter. De illasinnade varelser, som kallades busar, och som kallade Martin och hans kamrater snobbar, kunde stå på lur bakom varje gathörn. De värsta bland dessa busar voro de grymma och farliga träskbusarna, som då och då brukade lämna sina dystra hemvist i trakten mellan Humlegården och Roslagstorg — "Träsket" — för att ge sig ut på krigståg, och om vilka man sade att de begagnade daggar med blykulor. Men mer än dessa träskbusar, som Martin aldrig hade sett och på vilkas tillvaro han icke ens var fullt säker, fruktade han den förskräckliga busen Frans, som hade bott i "Långa raden" och som ännu bodde kvar på samma gata. Ty denna buse riktade alla sina krafter och all sin håg på att förbittra Martins liv om dagen och förföljde honom ända in i nattens drömmar.

Men en dag, då Martin var på väg hem i frukostlovet, fann han två av sina kamrater i slagsmål med Frans i ett gathörn; och de hade redan övervunnit honom och kastat omkull honom och bultade på honom med knytnävarna. Martin hade vid denna tid börjat läsa indianböcker, och han såg strax i Frans ett ämne till ett ädelt rödskinn och ville icke försumma ett så gynnsamt tillfälle att göra honom till sin vän och bundsförvant mot andra busar. Därför gick han fram och förehöll sina kamrater, hur fegt det var att vara två mot en, att Frans bodde på hans gata och var en ganska hygglig buse, och att de skulle låta honom vara i fred. Och medan han på detta sätt drog kamraternas uppmärksamhet till sig, lyckades Frans komma på benen och sprang sin väg.

I stället fick Martin allt det puckel, som var ämnat åt Frans. Därtill måste han länge lida smälek av sina kamrater för att han var god vän med en buse. Och då han nästa gång mötte Frans på gatan, utanför färgarens port, satte denne genast krokben för Martin, så att han föll i rännstenen, slog hans näsa i blod och rev sönder hans böcker, svor förskräckligt och sprang sin väg.

Ty han hade icke förstått, att han skulle vara ett ädelt rödskinn. Men denne Frans var icke heller en liten buse som många andra; utan han var en alldeles förskräcklig buse.

XI

Martin kom i elementarskolan.

Där var allting så främmande och kallt. Gråa väggar, långa korridorer.

Och skolgården, den var som öknen i Sahara. Då klockan ringde till den första rasten, smög Martin sig bort till avträdet för att slippa ifrån sina nya kamrater. Men under nästa rast samlade de sig omkring honom i en ring och betraktade honom en stund under tystnad, tills slutligen en liten rödhårig pojke med bred skalle öppnade munnen och frågade:

— Vad är du för en djävel?

Martin hade vid dessa ord en dunkel känsla av att det var ett nytt skede i hans liv, som nu tog sin början. Han hade varit lycklig som en ört på marken, liksom varje litet barn med goda föräldrar och ett gott hem. Nu slogos dörrarna upp till en helt ny värld, en värld där man inte längre kunde reda sig med samma enkla hjälpmedel som dem hans far och mor hade lärt honom: att vara hövlig och vänlig mot alla och aldrig gå andras rätt för nära. Här gällde det att snabbt och säkert kunna bedöma, i vilka fall man borde använda knytnävarna och i vilka man skulle taga till benen, och under vilka omständigheter man kunde ha gagn av list och förställning. Det dröjde icke heller alltför länge innan Martin fann sig till rätta. Han erinrade sig plötsligt diverse svordomar och fula ord, som han hade hört av brovaktarens dräng på landet, och han försummade icke att passa in dem här och där i sina samtal med kamraterna, där han trodde det vara lämpligt. På detta sätt blev han fortare bekant med dem, och de upplyste honom i gengäld om mycket som en nykomling kunde ha nytta av att veta: vilka bland lärarna som brukade slåss och vilka som bara brukade ge anmärkningar; att den värsta av alla var magister Sundell, som hade speglar i glasögonen, så att han såg allt vad man gjorde bakom hans rygg, och som alltid gick med guttaperkagaloscher för att man inte skulle höra när han kom i korridoren; att Korvkakan var hygglig, fast han var snål på betyg, men att Loppan var en förbannad stövel.

XII

Så lades år till år, och nytt fick begrava gammalt, medan Martin långsamt övades i livets dubbla konst, att lära och att glömma. Ty liksom spelaren för att kunna hålla ut tills det sista myntet runnit bort ur hans darrande hand måste kunna glömma sina förluster för den vinst, om vilken han yrar, så är också för människan, den tvungne spelaren, konsten att glömma den största och den på vilken det hela hänger.

Och Martin glömde. Röda Turken, som längesedan hade tröttnat att sprattla, var så glömd som om han aldrig hade funnits till. Och farbror Abraham, som hade givit honom den och som hade hängt sig i ett spjällsnöre en regnig dag, då han icke fann det mödan värt att leva längre, var snart glömd också han, om han än då och då dök upp i Martins drömmar som en mörk och oroande gåta. Men medan han glömde, lärde han. En tredjedel av sanningen skänktes honom av lärarna, och en annan tredjedel bjöds honom av kamraterna, som snart hjälpte honom att lyfta på den slöja, i vilken det sjätte budet och allt vad därtill hörde låg höljt. De begagnade sig därvid gärna av den heliga skrift. De förklarade noggrant, vad det var Absalom gjorde med sin faders frillor på palatsets tak inför allt folket, och de frossade med Hesekiel i Ahalas och Ahalibas bottenlösa synd. Men om än bägge dessa tredjedelar skänktes honom uppblandade med villfarelser och lögner, och om än sanningens sista tredjedel, som kanske var den viktigaste och som det ålåg honom att söka själv en gång, ännu icke hade börjat sysselsätta honom, så vidgades likväl dagligen luckorna, som erfarenheten rev i de spindelvävshäckar av saga och dröm, med vilka vänliga händer hade omgärdat hans barndoms täppa, och allt oftare gapade genom rämnorna det stora, tomma hålet, som kallas världen.

DEN VITA MÖSSAN

I

Då Martin Birck hade fått den vita mössan, var hans första omsorg att gå in i en cigarrbod för att köpa en käpp av kanelrör och en bunt cigarretter. Den unga flickan, som stod i butiken, hade svarta ögon och en tjock lugg. Hennes yttre motsvarade endast ofullständigt hans drömmars ideal, som låg i en ljusare och mera Gretchenartad sfär; men då hon vänligt lyckönskade honom till hans vita mössa och samtidigt betraktade honom med en blick, full av godhet, oaktat han aldrig förr hade varit inne i hennes bod, kände han det plötsligt helt varmt om hjärtat, fattade hennes smutsiga hand, som låg utsträckt över diskens lager av Cameo och Duke of Durham, och kysste den ömt. Han ångrade sig likväl nästan strax. Han hade kanske uppfört sig illa. Visserligen trodde han icke att den unga flickan var alldeles oskyldig, hon hade nog en älskare, eller kanske flera; men därför hade ju inte vem som helst rätt att komma in från gatan och kyssa henne på handen utan vidare. Han stod förlägen och visste icke vad han skulle säga eller göra, tills han äntligen kom sig för att välja ut en käpp, tända en cigarrett, betala och gå.

Drottninggatan sken ännu våt efter den sista regnskuren, små damer med guppande turnyrer lyfte på kjolarna för att hoppa över vattenpussarna, som speglade blått, eleganta herrar med smala rutiga ben och med likadana kanelrör som Martins svängde sina cylinderhattar till gravitetiska hälsningar och blottade därvid skallar så tättklippta, att huvudsvålen lyste igenom. Över de grå husens skorstenar och tak ilade vårdagens oroliga vita skyar i fladdrande hast, och längst ner i gatans fond skälvde solljuset kring kyrkor och torn. Martin stannade framför vartannat bodfönster för att spegla sin vita mössa. Han kunde icke förstå, hur han hade blivit student. Han hade ända in i det sista trott att han skulle bli kuggad. Så mycket gladare var hans överraskning, då han fick sitt studentbetyg liksom de andra, och isynnerhet då han kom till slutraderna: "På grund härav har bemälde M. Birck befunnits i avseende på den mogenhet, som en fullständig elementarundervisning avser att bibringa, förtjäna vitsordet *Med beröm godkänd.*" Dessa ord kommo hans hjärta att svälla av rörd tacksamhet mot lärarkollegiet; ty visserligen ansåg han sig själv tämligen mogen, men det var långt över hans förväntan att finna denna uppfattning delad av hans lärare. Under de sista terminerna hade han sällan kunnat sina läxor. Ofta hade han icke ens kunnat förmå sig att läsa över dem i tiominuterslovet före lektionens början eller att smyga ett par lösrivna blad ur läroboken in i bibeln för att studera dem under morgonbönen, medan lektorn i teologi stod i katedern och pratade strunt, en resurs som eljest även de lataste bland hans kamrater icke brukade försumma att anlita. Likväl skulle han gärna ha velat glädja sina föräldrar med vackra terminsbetyg, om han än icke för egen del hade någon stark ärelystnad i den riktningen; men det hade under de senaste åren kommit över honom en dov apati för allt vad som rörde skolan, mot vilken han ingenting förmådde. Han hade så svårt för att taga den på fullt allvar. Om han någon gång mot vanligheten hade utmärkt sig i ett eller annat ämne, skämdes han nästan inför sig själv som över en platthet. Så ofta han skulle dyka ned bland dessa tarvliga detaljer, i vilka läroböckerna hade sin lust, kände han sig nästan lika löjlig som mannen, vars hus brann och som räddade eldgaffeln.

Och nu, då eldgaffeln verkligen var räddad, var

han likväl så glad att han hade velat sjunga, och han kände sig lycklig och fri och skyndade hemåt med sin vita mössa, hem till sin barndoms blommande gata. Men gatan var icke längre densamma som förr. Från en enda liten täppa sträckte ännu körsbärsträden sina grenar ut över ett mossigt plank — resten var stora röda tegelhus och små gemena läsarkapell. Och busen Frans kunde icke längre störa den smula idyll som ännu fanns kvar, ty han hade vuxit upp och blivit stor, också han, och satt för längesedan på Långholmen.

II

Hemmet var tystare och mera tomt än förr. Maria, Martins syster, var gift sedan ett år med en läkare i en avlägsen landsort, och mormor fanns icke mer.

På kvällen skulle Martin och hans kamrater ha studentsexa på Hasselbacken. Martins fader gav honom fem kronor att offra åt ungdomsglädjen, och hans moder tog honom avsides och sade:

— Martin, Martin, nu måste du lova mig att vara försiktig i kväll och inte låta narra dig till några galenskaper. Du skall inte bry dig om att dricka ur ditt glas var gång någon vill skåla med dig, då blir du alldeles yr i huvudet. Det allra bästa vore om du bara ville låtsa som om du drack. Och så måste jag säga dig, Martin, att det finns ett slags förskräckliga kvinnor, som inte tänka på någonting annat än att försöka störta unga män i fördärvet. Dem måste du isynnerhet akta dig för. Lilla Martin, om jag bara visste att du höll dig till Gud och tänkte på honom, skulle jag inte vara orolig för dig; men det vet jag ju att du inte gör. Till och med deras andedräkt är giftig; och om du bara stannar på gatan och talar med en sådan kvinna, kan du sedan få de allra hemskaste sjukdomar, som ingen läkare i hela världen kan bota.

— Lilla mamma, svarade Martin, det där har du alldeles fått om bakfoten.

Och han tog sin vita mössa och sade adjö och gick. Modern följde honom med bekymrade ögon, och då han var borta, satte hon sig ned i en mörk vrå och grät. Ty hon kände, att hon skulle komma att förlora honom, som mödrarna alltid förlora sina söner.

III

Martin tänkte på sin moder, medan han gick utför Storgatan på väg till Djurgården.

Hur hade förhållandet mellan dem kunnat bliva sådant det var? För henne var han alltjämt ett litet barn. Då han först började tala med henne om sina religiösa tvivel, låtsades hon tro, att det var något som han hade fått utifrån, från elaka kamrater eller ur någon dålig bok. Sedan hade det gått därhän, att han icke längre kunde tala med henne annat än om de vardagligaste ämnen, om skjortor och strumpor och knappar som skulle sys i. Om deras samtal någon gång kom in på ett allvarligare område, behandlade de varandra ömsesidigt som små barn. Och utan att han ville det eller märkte det förrän det redan var för sent, kunde han därvid få något överlägset i tonen, som sårade henne, så att det efter ett sådant samtal stannade en tagg i hjärtat på dem bägge.

Hon låg ofta vaken om nätterna och grät och sörjde över hans otro. Likväl hörde hon själv med alla sina tankar och förhoppningar och med hela sin varelse jorden till. Hon trodde visserligen på helvetet, ty hon trodde på bibeln; men hon kunde aldrig på allvar föreställa sig, att hennes son eller över huvud taget någon av dem som hon kände och umgicks med skulle kunna komma till ett så förskräckligt ställe. Därför var det egentligen icke för hans själ hon sörjde mest, utan för hans framtid här på jorden; ty hon hade märkt, att det icke brukade gå väl i världen för dem som föraktade Gud och religionen. Några kommo i fängelse, andra lämnade landet för att leva bland främlingar, alla väckte ovilja och misstro hos hederligt folk. Hon fruktade att hennes son skulle kunna bli som en av dem, och det var detta som höll henne vaken om natten och gjorde hennes ögon förgråtna. Hon hade ingen kärare dröm än att han skulle bli "som andra", som folket är mest, om möjligt bättre och framför allt lyckligare, men dock i det hela taget som de. Hon kunde väl föreställa sig att hennes son skulle kunna bli poet, och hon kunde till och med önska det, ty hon älskade poesi, och hon fick tårar i ögonen då han läste någon av sina dikter för henne; men hon tänkte sig då, att han skulle sitta i ett ämbetsverk om vardagarna och bara om söndagarna eller eljest på lediga stunder skriva några verser om solnedgångar och skicka in dem till Svenska akademien och få dem prisbelönta och bli på en gång en stor skald och en aktad ämbetsman med säkra inkomster. Och hon trodde på fullt allvar, att han också skulle bli mera ansedd bland poeterna, om han sutte i ett ämbetsverk och hade en titel, än om han bara skrev. Så hade det ju varit med alla riktiga skalder. Tegnér var ju egentligen biskop, och till och med Bellman hade åtminstone haft en befattning vid nummerlotteriet. Och som ett exempel, vilket Martin särskilt borde taga till efterföljd, brukade hon nämna en skald, som hon hade känt då hon var ung och som nu var revisor i kammarrätten och skrev vers om allt stort och skönt, om havet och solen och kungen, och hade vasaorden. Ett sådant liv fann hon ädelt och eftersträvansvärt, och då hennes drömmar om sonens framtid gingo allra högst, var det något sådant hon tänkte sig.

Men Martin drömde andra drömmar. Han ville bli diktare. Han skulle skriva en bok, en roman eller en diktcykel, eller allra helst ett idédrama på samma versmått som "Brand" och "Peer Gynt". Han skulle ägna sitt liv åt att söka efter sanningen och att giva människorna vad han fann eller trodde sig finna av den. Och han skulle också bli berömd och en stor man och förtjäna mycket pengar, han skulle köpa ett litet hus åt sin far och en ny sidenklänning åt sin mor, ty den gamla var sliten och vänd och alltför ofta begagnad. Han skulle bli avundad av männen och eftersträvad av kvinnorna, men av alla kvinnor i världen skulle han icke älska mer än en, och denna enda älskade en annan. Denna olyckliga kärlek skulle giva hans tanke bitterhet och djup och hans dikt vingar. Men han kände dunkelt, att medan han sökte efter sanningen, skulle han endast finna sanningar, och medan han skänkte dem åt människorna på vers, underbarare än någon musik, eller på en klar och kall prosa med ord som vassa tänder, skulle han förakta sig själv för att han skördade ära och guld av de smulor han händelsevis hade funnit medan han sökte efter något annat. Och detta självförakt skulle fräta på hans själ och göra honom till ett tomt skal. Men han skulle inte låta världen märka något, han skulle måla sina kinder med smink och sina ögon med tusch och bära sitt huvud upprätt, och just i det ögonblick, då han själv djupast föraktade sin diktning och satte den lägre än det lägsta hantverk, skulle den hänföra människorna mest, och han skulle bli invald i Svenska akademien efter Wirsén. Och med ett ansikte, orörligt som en mask, skulle han hålla det vanliga blomsterströdda talet över sin företrädare. Aldrig mera skulle han sedan sätta en penna till papperet. I ett underligt brokigt och förvirrat liv skulle han söka döva sin förtvivlan. Ingen last skulle vara honom främmande, på ljusa dagen skulle han åka i droska genom gatorna med gycklare och skökor, och med spel och drickande skulle han få natten att gå. Tills han en dyster oktoberkväll tröttnade på sitt vansinniga och tomma liv, gjorde upp eld i sin kakelugn och brände sina

67

papper, tömde ett glas dunkelrött vin, kryddat med en underlig krydda, och somnade för att icke vakna mer...

Eller det var kanske inte nödvändigt, att hans liv måste sluta så tragiskt. När han tänkte närmare på saken, föreföll det honom till och med en smula banalt. Han kunde ju lika gärna flytta till en småstad, till Strängnäs eller Gränna. Där kunde han hyra ett hus och leva ensam med en papegoja och en svart katt. Han kunde också ha ett akvarium med guldfiskar. Bakom stängda fönsterluckor skulle han drömma bort sin dag, men då natten kom, skulle han tända ljus i alla rummen och gå av och an, av och an, och grubbla över allts fåfänglighet. Och när stadens borgare gingo förbi hans hus på hemväg från sin aftontoddy på stadskällaren, skulle de stanna och peka uppåt hans fönster och säga:

— Där bor Martin Birck. Han har lärt som en vis och levat som en dåre, och han är mycket olycklig.

Detta och en del annat tänkte Martin Birck, medan han gick utför Storgatan över Djurgården på väg till Hasselbacken.

IV

Orkestern intonerade de första takterna av "Mefistofeles".

Martin satt ute vid balkongräcket med Henrik Rissler. De lyssnade till musiken och sågo ut över terrasserna och talade icke mycket. Henrik Rissler hade en jämn och vit panna och lugna, klara ögon. Hans blick var sökande och lång och tycktes halka över de närmaste föremålen för att snabbare nå fram till de mera avlägsna. Han var den ende av kamraterna, som sökte Martins umgänge utom skolan. De brukade gå hem till varandra om eftermiddagarna och prata och röka cigarretter, och emellanåt gingo de långa promenader tillsammans, ofta i regn och snö och blåst, utåt Djurgården eller Ladugårdsgärdet, och talade om allt det som sysselsätter unga människor, om flickor och Gud och själens odödlighet. Eller de gingo i gasskenet på gatorna med en känsla av att de kastade sig i världsvimlet, de stannade framför kopparsticken i bokhandelsfönsterna, och framför alla andra beundrade de en litografi med titeln "Don Juan aux Enfers" och med ett motto från Baudelaire:

> Mais le calme héros, courbé sur sa rapière,
> regardait le sillage et ne daignait rien voir.

Denna bild satte deras fantasi i rörelse, hjärtat klappade fortare, när de sedan i människoströmmen snuddade vid en vacker flickas arm, och de trodde sig uppleva ett helt äventyr, var gång en gammal sminkad näringsidkerska kastade till dem en varm blick.

Men den första orsaken till deras vänskap var den, att de bägge hade läst Niels Lyhne och älskade den mer än andra böcker.

Därinne pratade och skrattade man kring bålarna och bildade grupper och kotterier. De flesta grupperade sig av gammal vana efter de sociala och intellektuella likheter och olikheter, som redan på skolbänken hade förenat några och skilt dem från andra: Gabel och Billfelt — Jansson och Moberg — Planius och Tullman. Andra gingo omkring litet surmulna och talade om sammanhållning.

Josef Marin knackade i bålen och utbragte en skål för det ontologiska beviset. Den dracks under tämligen lam tillslutning. Man var så utled vid skolsakerna, att man icke ens fann det mödan värt att skämta med dem.

Josef Marin skulle bli präst; men han var ännu icke riktigt befästad i tron.

Musiken spelade studentsånger, "Stå stark" och "Sjungom studentens lyckliga dag". Det började skymma över trädens kronor, över stadens skorstenar och tak och södra bergens höjder, vårkvällens bleka skymning, som förtunnar allt och lyfter allt och gör det svävande och overkligt som drömmens länder. Mängden, som skålade och drack nere på terrassen och som ännu helt nyss kunde tydligt urskiljas till sina beståndsdelar, löjtnanter och studenter, gardister och flickor och borgarfolk med hustrur och barn, hade nu i skymningen smält ihop till en oredig massa, och liksom av en oförklarlig nyck tystnade plötsligt sorlet, så att man en sekund hörde vattnets plask i fontänen och de sista sömniga fågelpipen från träden. Och i väster flammade redan en stark och ensam stjärna.

— Se Venus, sade Henrik. Så hon tindrar!

Martin satt i tankar och ritade på bordet, och strecken formade sig under hans hand till en kvinnas armar och bröst.

— Säg, frågade han plötsligt — han kände att han rodnade — säg, tror du att det är möjligt för en man att leva kysk, tills den riktiga kärlekslyckan kommer? Det är ju ändå det man helst skulle vilja. Att vara tillsammans med kvinnor, som man inte kan känna någonting för, som höra till en annan ras och ha smutsigt linne och säga fula ord och bara tänka på betalningen, det måste vara otäckt.

Henrik Rissler blev också en smula röd.

— Möjligt, sade han, ja, för några är det väl alltid möjligt. Människorna äro ju så olika. Men så mycket vet jag redan om mig själv, att det knappast kommer att bli möjligt för mig. Då får åtminstone den stora kärleken inte låta vänta på sig stort längre ...

De sutto tysta och stirrade mot stjärnan, som tindrade allt starkare i det mörknande blå.

— Venus, mumlade Martin, Venus. Det är en stor och vacker stjärna. Men jag förstår inte varför hon skall ha ett namn. Hon kommer i alla fall inte om man ropar på henne.

Martin hörde plötsligt en främmande röst bakom sin stol.

— Mycket sant, sade rösten, mycket sant! Hon kommer inte om man ropar på henne. En lika vemodig som träffande anmärkning!

Martin vände sig om förvånad. Den främmande var en vårdslöst klädd man i studentmössa, med ett smalt och blekt ansikte och en svart mustasch, som hängde ned över munnen, så att det icke var lätt att se om han log eller var allvarlig. Ansiktet såg litet gammalt ut till den vita mössan, och den var icke heller alldeles ren.

En av Martins kamrater stod bredvid och presenterade honom: doktor Markel.

Doktor Markel hade kommit dit i sällskap med en äldre bror till Billfelt. De hade kommit från Uppsala samma dag, ätit middag på Hasselbacken och därefter inviterat sig själva att deltaga i studentsexan. Den äldre Billfelt höll just ett tal därinne. Martin hörde något om "Uppsala" och "alma mater".

Doktor Markel slog sig utan vidare ned hos Henrik och Martin.

— Två unga skalder, inte sant? frågade han. Jag vågar anta det, efter herrarna sitta här för sig själva, avsides från den profana hopen, och tala om stjärnor. Törs man fråga vad herrarna ha för livsåskådning? Tror ni på Gud?

Henrik Rissler betraktade förvånad den främmande, och Martin skakade på huvudet.

Doktor Markel såg fullkomligt allvarlig ut, det låg bara en lätt dimma över hans ögon, som voro stora och sorgsna.

Några av de andra hade kommit till och lyssnade till samtalet. Planius och Tullman satte upp samma läraktiga ansikten, med vilka de under lektionerna hade vant sig att lyssna till lärarens förklaringar. Ga-

71

bel smålog sarkastiskt med sitt fina adelsansikte, och bakom honom trängde sig Josef Marin fram. Josef Marin var liten och svagt byggd, och han såg blek och förläst ut. De två eller tre glas punsch han druckit hade redan gjort honom litet uppsluppen; men då han nu hörde en allvarlig fråga framställas och icke kunde finna att det låg något skämt under, inföll han med allt det allvar han i en hast kunde samla ihop:

— Jag tror på Gud. Men jag uppfattar honom inte som ett personligt väsen.

Doktor Markel föreföll angenämt överraskad.

— Å, ni är panteist, charmant! Det måste ni också bli — han vände sig till Martin — ni som skall studera till skald. För skalder och för dem som vilja förföra flickor, och det vill alla skalder, kan jag inte nog varmt rekommendera den panteistiska världsuppfattningen. Ingenting kan vara mer ägnat att kollra bort en flickunge än det panteistiska svammel varmed Faust besvarar Gretchens enkla fråga: tror du på Gud? Om han då hade svarat, enkelt och flärdlöst som hon frågade: nej, mitt barn, jag tror inte på Gud — så var övertygad, att flickan hade gjort korstecknet och sprungit in till sig, ins stille Kämmerlein, och vridit om nyckeln två varv i låset. I stället svarar han, att han både tror och inte tror, vilket gör intryck av djupa själsstrider, och att Gud egentligen är namnet på den känsla, som två älskande erfara när de ligga i samma säng. Detta säger han med mycket patos och på ett vackert språk, så att det inte sårar hennes blygsamhet, tvärtom, hon tycker att han talar som en präst, och resten vet vi. — Och för en skald... Men tillåt mig först som äldre student...

Doktor Markel lade med lätthet och världsvana bort titlarna med alla som för tillfället befunno sig inom räckhåll för en brorskål och fortsatte därefter:

— För en skald är panteismen ett rent fynd, en sann guldgruva. Om han är kyrkligt troende, får han visserligen Karl XIII:s orden och goda inkomster, men blir bara läst av mamseller och förlöjligas i de liberala tidningarna, som ju i alla fall ha den största publiken. Om han är ateist, blir han ansedd för en flack och ytlig natur och en elak människa och får svårt att låna pengar. Nej, en skald bör tro på Gud; men på en gud, som är någonting alldeles extra och noch nie dagewesenes, aldrig förr visad på någon cirkus, och som man aldrig riktigt kan komma underfund med, ty då vore ju skämtet genast slut. Panteismens gud är just det råmaterial, som behövs till en sådan. Det är idealet för en gud. Honom kan var och en skära till på sin egen fason, han fattar aldrig humör, han straffar aldrig och belönar visserligen inte heller, han tar det hela med ro, och det kommer sig därav att han saknar en liten egenskap, som även den enklaste bland Stadsgårdens busar till en viss grad består sig med: personlighet. Detta är just det fina hos honom. Till en personlig gud måste man stå i ett personligt förhållande, det vill säga vara läsare. Att vara läsare är förträffligt, om man nyss har kommit ut från Långholmen och behöver rehabiliteras. Eljest är det onödigt. Ni ser vart jag vill hän, mina herrar: att hålla sig med en personlig gud medför en mängd onödigt besvär; att vara alldeles utan är för riskabelt. Därför måste man ha en opersonlig gud. En sådan gud sätter fantasien i rörelse och tar sig bra ut i poesi utan att till gengäld medföra några förpliktelser. Med en sådan gud blir man av allt bildat folk ansedd för en upplyst och ädelt tänkande person och kan bli ungefär vad som helst, från ärkebiskop till radikal tidningsredaktör.

I högtidlig stil kallas han Allfader, i vardagslag Vår herre. Egentligen behöver han inte något namn, det är nämligen med honom som med stjärnan därborta: han kommer i alla fall inte, om man ropar på honom.

Den gest, med vilken doktor Markel sökte stjärnan och liksom vinkade henne till sig, fann blott en mörk och mulen rymd, ty det hade dragit upp stora moln, stjärnan var borta, det hade blivit skumt som på en höstkväll, och några stora regndroppar började redan falla mot barriären.

Doktor Markels uppträdande gjorde icke lycka. Josef Marin, som under hans tal hade druckit mera punsch och blivit ännu blekare än förut, mumlade något om att man borde smocka honom på käften. Andra stodo i grupper och rådslogo om att bryta upp.

Den äldre Billfelt uppfattade stämningen, ringde på kyparen och rekvirerade champagne. Han höjde sitt glas och tackade i vackert rundade vändningar för den vänlighet, med vilken han och hans vän, doktor Markel, representanter för Uppsala och alma mater, hade blivit mottagna av blivande alumner. Därefter betalade han champagnen och försvann med Markel.

— Din bror är en gentleman, sade Gabel till Billfelt.

Det regnade som om himmelen varit öppen. Man trängde ihop sig på en spårvagn för att fara in till staden och dricka kaffe. De flesta förordade Hamburger börs.

Martin, som alltid hade trott, att Hamburger börs var ett ställe där Stockholms tyska köpmän samlades för att göra affärer, trädde med förvåning in i ett kafé, som tycktes honom stråla av en sagolik lyx. Här och där i sofforna sutto några av hans förra lärare och en del gamla farbröder och höjde glasen och nickade gemytligt.

Det kom in kaffe och likörer. Man talade om sina framtidsplaner. De flesta skulle bli jurister och ämnade använda sommaren till att läsa på prillan. Stämningen steg, och man avgav oförsiktiga löften att hålla ihop och inte glömma bort varandra. Vid den ena bordsänden svuro Gabel och Billfelt varandra evig vänskap, vid den andra tolkade Jansson sina känslor för Moberg. Josef Marin kunde endast med möda avhållas från att profetera. Då Josef Marin profeterade

74

gick det så till, att han läste upp långa ramsor av likgiltigt innehåll, giftermålsannonser ur Dagens Nyheter blandade med stycken ur Tegnérs Svea och Norbecks teologi; och allt detta föredrog han i samma sjungande och högtidliga ton i vilken han föreställde sig att Elias bestraffade Achab och Hesekiel spådde Israels och Judas undergång. Klockan blev ett och närmade sig två, och en och annan sade redan godnatt och bröt upp, isynnerhet de som på fullt allvar hade för avsikt att läsa på prillan. Publiken glesnade runt omkring, det elektriska ljuset var längesedan släckt, endast ett par gaslågor brunno ännu, och kyparna stodo med martyrminer och längtade efter sömnen och drickspengarna. Det var ingenting annat att göra än att bryta upp.

Ute började det redan dagas kring gatorna och torgen, det regnade icke mer, men luften kändes fuktig och kall och disig, och genom dimman lyste Jakobs urtavla som en måne ur Fliegende Blätter.

Man hade svårt att skiljas och drev ett stycke nedåt stråkvägen förbi operan. Från Lagerlunden kommo skalder och tidningsmurvlar, och Martin betraktade dem med vördnad och undrade, om det någonsin skulle förunnas honom att bli som en av dem. Studentmössorna lyste vita i natten, det kom nattfjärilar fladdrande från höger och vänster och smögo sina armar under de unga männens och frestade dem med löften om livets högsta lycka, och under muntert glam och oskyldigt skämt följdes man åt ner i Karl XII:s torg, ty Josef Marin hade fått för sig, att han måste profetera för Karl XII. Men medan han profeterade, tog Gabel den vackraste flickan om livet och började en vals med henne kring statyn, Moberg följde exemplet och trådde dansen med en åldrig bacchantinna, och Martin stod med klappande hjärta och stirrade på en liten blek olycka med ögon som svarta kol och undrade, om han skulle våga närma sig henne, men medan han undrade, lade Planius armen om hennes liv och skumpade i väg, och Martin stod ensam och såg dem virvla om i dimman, par om par. Men över Söder började morgonbrisen redan lätta på dimmorna, över strömmen drevos de fram som vit rök, och korset på Katarinas kupol brann likt morgonstjärnan i den första gryningsstrimman.

En polis skymtade fram nere på kajen och närmade sig långsamt, en av flickorna utstötte ett litet varningsrop, och skaran skingrades åt alla håll. En tjock nymf tog utan vidare Martins arm och följde med honom.

— Jag måste hålla dig under armen, min sockergris, sade hon, annars kommer bylingen och tar mig. För resten kan du gärna följa med hem till mig, vad? Jag har riktigt trevligt hemma hos mig, skall du få se. Jag har en stor, skön säng, och lakana har jag själv broderat. Jag sitter för det mesta och broderar om förmiddagarna, något måste man ju ha för sig, och jag står inte ut med att sitta och spela mariage med mamma dag ut och dag in som de andra flickorna, och så svär di och lever och bär sig tarvligt åt. Jag tycker inte om sånt där, jag tycker mest om snälla och hyggliga gossar som du. Och om du är riktigt snäll och kommer och hälsar på mig ofta, skall jag brodera en nattskjorta åt dig till minne. — Jaså, du har inga pengar, fy fan, det var ett par andra galoscher. Då får du komma igen när du har några. Fråga bara efter Hulda. Men säg, är det sant att det finns en flicka i Uppsala som kallas för Karl XII?

— Jag vet inte, svarade Martin.

— Ja, adjö då...

Det var icke alldeles sant att Martin inte hade några pengar; han hade ännu några kronor kvar av honoraret för ett poem, som han hade fått tryckt i "Hemvännen", och han hade bara sagt så för att icke såra hennes känslor.

Martin låg länge vaken och kunde icke sova. Det var den lilla bleka och svarta, som icke lämnade honom någon ro. Hon hade stått så blek och stilla och ensam, hon hade icke tagit någons arm och icke skrattat och pratat som de andra. Vem var hon, och hur hade hon kommit dit där hon var? Hon hade väl blivit förförd och övergiven, hon hade kanske ett litet barn, som måste svälta och frysa, om hon inte skaffade det mat och kläder genom att sälja sin kropp. Hur han skulle kyssa henne, om han nu hade henne i sina armar, hur han skulle smeka henne och giva henne de ömmaste namn och försöka komma henne att glömma vem hon var, en allmän glädjeflicka, och vem han var, en tillfällig, betalande kund som alla andra! Vem var hon nu tillsammans med, kanske med Planius? Vad kunde Planius vara för henne? Han var inte vackrare än Martin, och han var dum som en braxenpanka. Han hade varit en av de värsta plugghästarna och ändå bara fått "Godkänd" i mogenhetsbetyg. Varför skulle hon just välja honom? Men hon hade naturligtvis inte gjort något val, hon hade bara tagit den första bästa. Martin förstod det och fann det naturligt. Hon hade en gång givit bort sitt hjärta och sin själ och hade icke längre något att ge annat än sin kropp, och varför skulle hon neka den åt någon, då det nu en gång var hennes yrke att sälja den och då hon redan hade kommit så djupt ned i smutsen som en människa kan komma? Men kanske ändå, om Martin kunde träffa henne och hon lärde känna honom, kanske hon ändå kunde komma att hålla av honom och börja ett nytt liv. För henne skulle han offra allt, alla drömmar om diktarära och hela sin framtid skulle han offra henne, han skulle välja något yrke med vilket han strax skulle kunna förtjäna sitt och hennes uppehälle, de skulle gifta sig och leva långt borta från människorna, i ett litet hus vid en sjö djupt inne i skogen. De skulle ro tillsammans i en liten båt i vassen och drömma bort timmarna, de skulle gå i land på en holme, och där skulle de vara tillsammans hela natten, medan stjärnorna brunno över deras huvuden. All sorg och alla mörka minnen skulle han kyssa bort från hennes panna, och hennes lilla barn skulle han hålla av som om det hade varit hans eget ― ― ―

Men medan Martin fantiserade på detta sätt, förstod han samtidigt fullkomligt klart, att det under alla dessa drömmerier icke låg något annat än *begäret*, en ung mans hunger efter en kvinnas vita kropp. Och ju längre det led på natten, medan han låg vaken och stirrade på det grå dagsljuset, som sipprade in bakom rullgardinen, desto bittrare ångrade han att han hade sagt nej åt den andra, den tjocka.

VI

När någon frågar en ung man, som nyss har tagit studentexamen: vad skall du bli? så kan han icke svara: diktare. Då skulle människorna vända bort huvudet och hålla för munnen. Han kan svara: jurist, eller målare, eller musiker; ty till alla dessa yrken kan man låta utbilda sig vid statsläroverk, och redan under lärotiden har man en liten hylla i samhället att sitta på, ett fack att hålla till i, och man är redan något: studerande vid universitet, eller elev vid konstakademien eller konservatoriet. Det är icke mycket, men det är dock alltid en liten sockerbit att kasta i gapet på de närgångna och en någorlunda begriplig framtid att peka på för de välvilliga. Men den, som skall bli diktare, är ingenting alls annat än ett åtlöje för Gud och människor, förrän han redan blivit erkänd och berömd. Därför måste han under alla de långa läroåren hänga en falsk skylt över sin dörr och låtsas sysselsätta sig med något som människorna anse aktningsvärt.

Detta förstod Martin och fann, att det var fullkomligt naturligt och icke kunde vara annorlunda; och då hans far frågade honom vad han ville bli, svarade han icke att han ville bli diktare, utan att han ville gå in som extra i något ämbetsverk. Och fadern fann behag i detta svar och såg däri ett tecken att hans son skulle bli lika förståndig och lycklig som han själv. Han hade fruktat, att Martin möjligen skulle vilja resa till Uppsala för att läsa estetik, och han kände med sig själv, att han icke hade kunnat säga nej; men han darrade för alla de utgifter och bekymmer som det för en fattig familjefar medför att hålla en son vid universitetet. Därför blev han förtjust över det svar, han nu fick, och hade ingenting annat att anmärka, än att Martin borde söka inträde icke i ett ämbetsverk, utan i så många som möjligt; och på aftonen bjöd han honom med sig till Blanchs kafé för att höra på musik och dricka toddy.

Men redan nästa dag satte han sig i rörelse och talade med sina bekanta i de olika verken och hjälpte Martin att skriva ansökningar.

VII

Men hos chefen för det ämbetsverk, till vilket Martin huvudsakligen ämnade förlägga sin verksamhet, måste han personligen göra sin uppvaktning klockan åtta på morgonen i frack och vit halsduk. Frusen och hungring, ty han hade icke hunnit äta något, gick han uppför trapporna i ett tyst hus vid en förnäm gata och ringde på generaldirektörens dörr. En betjänt med guldkanter anmälde honom och öppnade dörren till ett skumt kabinett med blott till hälften uppdragna gardiner. Alla slags klädesplagg lågo kringströdda här och där på stolarna, på toalettspegeln hängde ett stort grönt ordensband, och vid tröskeln stod ett nattkärl som han var nära att snava över, men han hejdade sig i tid och blev stående med en stum bugning. Mitt i rummet stod en vördnadsbjudande gammal gubbe i purpurröd sammetsnattrock, gestikulerande med en rakkniv och med hakan intvålad, och ur den röda sammeten och den vita tvålen höjde sig en röst och sade:

— Herrn har ett vackert studentbetyg; men glöm inte bort, att ärlighet och flit är och förblir det förnämsta i statens tjänst. Herrn blir antagen och kan infinna sig i morgon för att börja sin tjänstgöring, om det finns något att göra. Framför allt: var ärlig! Farväl.

Martin antog, att detta ohövliga tilltal stod i överensstämmelse med gammal hävd, och lät icke avskräcka sig. Han kom till ämbetsrummet, han fick en plats vid ett bord och en tjock räkenskapsbok att granska. Han räknade igenom kolumn efter kolumn. Om summorna stämde, skulle han sätta kråkor i kanten; om de icke stämde skulle han göra anmärkning. Men de stämde alltid. Martin fick småningom den övertygelsen, att det aldrig förekom några fel i dessa räkenskaper, och när denna övertygelse en gång hunnit bli rotfast hos honom, slutade han alldeles upp att räkna och satte bara kråkor. Och emellanåt såg han upp från sitt verkliga eller låtsade arbete och lyssnade till flugornas surrande och regnets plask mot fönsterblecket, eller till de äldres samtal och gräl, eller till en blind man, som spelade flöjt på gården.

Och han sade till sig själv:
— Detta är alltså livet.

VIII

Men för Martin var detta icke livet. För honom var det ett gömställe, en asyl, i vilken han hade sökt sin tillflykt för en tid, som han hoppades kunna göra kort.

Han läste och tänkte. Han sökte i böckerna och i sina egna tankar det, som man så ofta söker i ungdomen för att på ålderdomen glömma att man någonsin har bekymrat sig om det: en tro att leva på, en stjärna att styra efter, ett sammanhang i tingen, en mening och ett mål.

*

Martin hade varit kristen till sitt sextonde år. Det är naturligt, att ett barn tror, vad de äldre säga vara sant. Och han hade trott allt och icke tvivlat, och om söndagarna hade han gått i kyrkan med sina föräldrar. Om prästen var en vältalare och en charlatan, kände han sig uppbyggd och rörd och önskade, att han själv kunde bli en sådan präst; men om det var en anspråkslös hedersman, som predikade så gott han kunde utan att väsnas och gestikulera, somnade han vanligen. Men då han var sexton år, gick han och läste. Religionen hade dittills varit en detalj i skolarbetet, sidoordnad med andra detaljer; nu blev den med ens det väsentliga, det som dagligen tog tiden och tankarna i anspråk, och den nöjde sig icke med tankarna: den ville också lägga an på känslan, ty det var brukligt att gråta, då man "gick fram", och den utvecklade öppet sitt krav på att vara det högsta av allt, den ledande makten i livet, det enda viktiga. Och Martin kunde icke undgå att finna, att om religionen var sanningen, då hade den rätt även i detta, och framför allt i detta; då måste han ägna den alla sina krafter och hela sin själ, då måste han bli läsare. Men om den icke var sanningen, då måste han söka sanningen var han kunde finna den, då måste han alltså bli fritänkare. Vad som var däremellan, kristendomen av vana och bruk, sådan den bekändes och troddes av mängden, det var för honom tanklöshet och platthet. Det var en utväg, som föreföll honom naturlig

81

för de flesta bland hans kamrater; men det föll honom aldrig in att tro, att den kunde stå öppen för honom. Han stod vid skiljovägen och måste välja.

Men en natt, då han låg vaken och grubblade över detta och icke kunde sova, emedan månen sken rätt in i rummet och tankarna trängdes i hans huvud, stod det med ens klart för honom att han icke trodde. Det föreföll honom som om han redan länge hade förstått, att den kristna religionen var något som egentligen ingen kunde tro på, om han ville vara uppriktig mot sig själv. Det blev tydligt för honom, att problemet om kristendomens sanning var något, som han redan hade kommit förbi, och att det egentligen var en helt annan gåta, som nu oroade honom: hur var det möjligt, att de andra kunde tro på detta, och icke han? Och med "de andra" menade han icke blott sina kamrater, ty de tycktes icke bry sig något vidare om sådant, och han visste för övrigt att man kunde få dem att tro på litet av varje, utan sina föräldrar, sina lärare, alla de fullvuxna, som måste veta mera om livet och världen än han. Hur var det möjligt att han, Martin Birck, som ännu inte hade fyllt sexton år och låg i en liten järnsäng i sina föräldrars hem, kunde tänka annorlunda om de högsta och viktigaste tingen än de gamla och erfarna, och att han kunde ha rätt och de orätt? Detta tycktes honom vara ett nästan lika svindlande vanvett som själva den tro han nyss hade förkastat. Här stod allt stilla för honom, han fick ingen klarhet i detta. Han steg upp ur bädden och gick till fönstret. Snön lyste vitt på taken, det var mörkt i husen, och gatan låg tom. Månen stod högt på himlen, men det var en gråvit vintermåne, liten och förfrusen och oändligt avlägsen, och i måndiset blinkade stjärnorna sömnigt och matt. Martin stod och ritade med fingret på rutan. — Giv mig ett tecken, Gud! viskade han. Och han stod länge vid fönstret och frös och stirrade på månen, han såg den glida in och gömma sig bakom en svart fabriksskorsten, och han såg den krypa fram igen på andra sidan. Men han fick intet tecken.

I djupet av sitt hjärta önskade han icke heller något; ty han kände, att en övertygelse var något som man icke kunde och icke borde få till skänks genom ett underverk. Att söka efter sanningen och att i sökandet vara uppriktig mot sig själv, det var den enda ledtråd han kunde finna.

Martin trodde, att konfirmationen och den första nattvardsgången voro plikter, föreskrivna av lagen, och som man icke kunde undandraga sig. Hans far visste icke heller annat, eller om han visste det, sade han det icke, ty han hyllade valspråket: Tala är silver, tiga är guld. Därför gick Martin till nattvarden med de andra läsbarnen. Det var en vårdag med sol och späd grönska i kyrkogårdens gamla träd, och då Martin hörde klockorna dåna och sjunga och orgeln tog upp ingångspsalmen, fick han ögonen fulla av tårar och sörjde i sitt hjärta över att han icke var som de andra och icke kunde tro och känna som de. Och då han såg kyrkan full av allvarliga människor och hörde lärarens röst, som från predikstolen förmanade de unga att stadigt hålla fast vid fädernas tro, kände han oro och förvirring längst inne i själen, och åter var gåtan där och ängslade honom: hur är det möjligt, att alla dessa kunna tro, och icke jag? Det är ju ett vanvett att tänka, att jag ensam kan ha rätt mot dem alla och mot alla de döda, som sova i gravarna därute och som levde och dogo i den tro jag förkastar. Det är ett vanvett, ett vanvett! Jag måste övervinna mitt förnuft och lära mig att tro. Men då han kom till själva ceremonien och såg prästerna i sina kåpor röra sig av och an framför altaret, medan de sysslade med brödet och vinet och buro handdukar över armen liksom kypare, kände han svindel och äckel och kunde icke förstå, att han hade låtit narra sig med på detta. Och ehuru han visste eller trodde, att dessa präster, som tassade omkring därborta i skumrasket, i det borgerliga livet voro ungefär så hederliga som folket är mest, föreföllo de honom i detta ögonblick som skamlösa bedragare.

Tron på en Gud och på ett liv efter detta var vad Martin vid denna tidpunkt hade kvar av sin barndoms tro. Men hans gud var icke längre en faderlig gud, som lyssnade till böner och nickade bifall till dem, om de voro nyttiga och förståndiga, eller skakade på huvudet, om de voro barnsliga och dumma. Hans gud hade blivit iskall och avlägsen som den måne han hade stått och stirrat på en vinternatt, och han slutade upp med att läsa sin aftonbön, ty han trodde icke att det fanns någon som hörde den. Och slutligen kom den dag då Martin förstod, att det som han på sista tiden hade kallat gud var något till vilket en människa icke kunde träda i något som helst förhållande varken av kärlek och lydnad eller av motsatsen, och som icke kunde få namn av gud annat än genom en lättfärdig lek med ord och ett missbruk av språkets ofullkomlighet. Och då han granskade sin odödlighetstro, fann han snart, att han hade kommit mycket långt bort från sin barndoms blåa himmelrike. Han hade märkt, att alla, som på någon annan grundval än uppenbarelsens försvarade tron på ett liv efter detta, också förutsatte ett liv före detta, och han fann det naturligt och logiskt. Evigt är blott det, som alltid har funnits till. Det som en gång har blivit till, skall en gång upphöra att vara till: sådan var lagen för allt varande. Men Martin hade intet minne av någon tidigare tillvaro, och han hade icke heller läst eller hört talas om någon, som med något sken av sannolikhet hade uppgivit sig minnas något sådant. Visserligen fanns det människor, som påstodo sig minnas sin preexistens; men de uppgåvo sig då i regeln ha varit någon historisk personlighet, om vilken de i sin nuvarande tillvaro hade läst i böcker: Julius Cæsar, eller Gregorius VII. Endast sällan kunde någon erinra sig ha varit slav eller kypare eller bodbetjänt. Denna omständighet föreföll besynnerlig. I alla händelser var det tydligt, att mängden av människor, och bland dem Martin, icke hade det ringaste minne av någon föregående tillvaro. Han slöt därav, att han i ett kommande liv icke heller skulle kunna erinra sig något av det nuvarande, ja, att han icke ens skulle kunna konstatera sin egen identitet; och han fann att om man kallade en sådan fortvaro odödlighet, då var det åter, liksom nyss i fråga om Gud, en svaghet i tanken och en lek med språkets ofullkomlighet och ingenting annat. Och ännu mera bisarrt föreföll det honom att giva ett sådant namn åt den döda kroppens uppgående i den levande naturen, i växter och djur och luft och vatten. Han hade icke sinne för dylika ordlekar.

På detta sätt gick det till, att Martin trädde ut i livet utan någon annan tro än den, att han skulle växa och åldras och dö som ett träd på marken, liksom hans fäder före honom, och att den gröna jorden, som han såg med sina ögon, var hans enda hem i världarna och det enda rum, inom vilket det var honom givet att leva och verka. Och bland de många drömmar han diktade om sitt liv var också den, att han skulle bli som ett stort och vackert träd vid vägen och grönska rikt och skänka svalka och skydd åt många. Han ville skapa lycka och skönhet omkring sig och skingra villfarelserna; och han skulle tala och skriva så att alla genast måste inse att han hade rätt. Visserligen var han icke fullt säker på att sanningen i och för sig kunde skapa lycka; men historien hade lärt honom, att villfarelsen skapade olycka och brott. Som farsoter hade de olika religionerna dragit fram över världen och han häpnade, då han tänkte på all den ödeläggelse, med vilken kristendomen hade betecknat sin väg genom tiderna och folken. Men han trodde med full tillförsikt, att dess dagar nu voro räknade. Han tyckte sig känna, att han levde i gryningen till en ny tid, och han ville vara med om att i tanke och dikt bana väg för det som skulle komma.

På den tiden, då Martin trodde och tänkte så, föreföll det honom ännu som om livet, hur kort och
vanskligt det var, likväl hade ett slags mening. Han
kände sig stadd i utveckling och växt, och det gick
dagligen upp nya sanningar för hans tanke och ny
skönhet för hans sinnen under hans långa ensamma
vandringar bort åt stadens utkanter eller i skogen när
det började våras. Och våren... På den tiden var våren ännu en verklig vår — icke en sjukdom, ett rus,
en feber i blodet, i vilken all gammal halvglömd saknad och längtan flyter upp och säger: se här är jag,
känner du igen mig, jag har sovit länge, men jag är
inte död! Icke något sådant; men ett uppvaknande, en
morgon, ett sus i luften och en klingande sång. Och
på den tiden voro de tusen otillfredsställda begär,
som han bar inom sig, lika många skimrande förhoppningar och halvutsagda löften, ty inga långa år av
tomhet och besvikelse hade ännu hunnit slipa dem till
vassa knivar, som sargade och revo i själen. Och om
han än icke på allvar trodde, att alla dessa förbindelser skulle infrias av livet, eller ens de flesta av dem,
så funnos de likväl där som bestickande möjligheter,
som en hävstång till drömmar utan mål och gräns,
och även i de ögonblick, då den bok han höll i handen eller den erfarenhet han under dagens lopp hade
gjort viskade varningar i hans öra och rådde honom
att icke tro på lyckan, flöto de tillsamman i en längtan utan bitterhet och ett vemod, ljust som vårskymningen.

Och likväl kommo dessa varningar allt tätare, och
allt oftare hände det att han mitt i de drömmar ett
ungt blod föregycklade honom grep sig själv i att
lyssna till den andra rösten, den röst,som trängde upp
ur de äldsta tidernas djup och gav eko i dagens nyaste böcker, den underliga rösten, som intet av de
hundra nya evangelier, vilka periodiskt som vårstormarna hade blåst genom människornas sinnen, förmått bringa till tystnad mer än för ett kort ögonblick,

den röst som sade: allt är fåfänglighet, och det finns ingenting nytt under solen. Varför levde han, och vad var meningen med det hela? Han upphörde icke att göra sig själv dessa frågor, ty han begärde ännu alltjämt av det liv, som han såg med sina ögon, att det skulle ligga något under, något som kunde kallas: livets mening. Ty det mesta både av den lycka, som han såg människorna äga, och den, som han såg att de strävade efter, tycktes honom liksom trollguldet i sagan egentligen vara vissna löv, eller de föreföllo honom som lustiga leksaker och något som man icke kunde taga allvarligt. Och om han vände blicken till sitt eget liv, sådant han levde det från dag till dag, kunde han icke undgå att finna, att det i sig självt var eländigt och tomt och att dess enda värde låg i det ovissa hoppet, att det icke alltid skulle förbliva sådant. Men vad han hoppades var icke att uppnå något som man kunde närma sig steg för steg, med arbete och tålamod och hundra små försakelser — välstånd och anseende och liknande, som andra hade uppnått före honom — det som han hoppades och väntade på var något obestämt och osägbart; en soluppgång, en islossning, ett uppvaknande ur en pinsam och meningslös dröm.

Ty som en pinsam och förvirrad dröm föreföll honom hans liv, då han såg på det med vakna ögon och fann det uppfyllt av fattig glädje, av tarvliga sorger och ignobla bekymmer. Han skrev då och då några poem och noveller för att förtjäna litet pengar och för att pröva, hur långt hans ord kunde följa hans tankar, men varje nytt år föreföll honom allt vad han skrivit under det gamla barnsligt och värdelöst, och det ville icke bli till något, som helt kunde fylla honom med skapandets lycka. För övrigt utförde han i det närmaste automatiskt den summa av handlingar eller rättare gester, som i allmänhet brukar utmärka en ung man i verken eller som omständigheterna eljest kunde föranleda. Han gick till sitt ämbetsrum så sent på dagen som möjligt, och han lämnade det så tidigt anständigheten medgav. Han gjorde bekantskaper bland kamraterna i verket och deltog i deras nöjen. Han drack punsch och åt sexor och besökte billiga glädjeflickor; han älskade musik och satt ofta på operan bland femte radens sotarmurrar och musikentusiaster, och han sjöng kvartetter och recipierade i Par Bricole, där en gammal skolrektor med faderligt välsignande händer hängde den gyllene blecktratten i rosenrött band om hans hals.

Och han sade till sig själv:
— Nej, jag drömmer. Detta är icke livet.

IX

Det gick år.

——— Martin drev omkring i skymningen. Gatorna och torgen lågo vita, snön föll mjukt och tyst. En man gick framför honom i sicksack och tände en lykta här och en lykta där.

Martin drev omkring utan mål, han visste knappt var han gick.

Plötsligt märkte han, att han gick och grät. Han förstod icke rätt varför. Han hade eljest icke lätt för att gråta. Det måste ha fastnat några snöflingor i ögonhåren, och han hade blivit våt i ögonen... Han vek in på en sidogata och kom till ett stycke park, han snuddade förbi ett halvt insnöat par på en soffa och gick längre in mellan träden, där det var ensamt och tomt och grenarna slokade tunga av våt snö.

... Besynnerligt. Ett kyffe i en gränd; en rykande lampa. Två nakna armar, som böjdes och sträcktes framme vid fönstret, och ljudet av gardinen som rullades ned. Och flickan, som gnolade på sista varietévisan medan hon långsamt och likgiltigt häktade upp

88

sitt röda livstycke — han gnolade med för att slippa tala — var hon vacker eller ful? Han visste det icke, han hade knappt sett på henne. Det var dock icke henne han längtade efter.

Han hade suttit hemma i skymningen, marseftermiddagens isiga blå skymning, och vridit och vänt på en gammal dikt, som aldrig ville bli riktigt färdig. Så hade han med ens kommit att tänka på en kvinna. Han hade mött henne på middagen då han kom från sitt verk, och han hade känt det som ett plötsligt rus. Hon gick mitt i solskenet, och många män vände på huvudet efter henne där hon gick fram. Men hon tycktes ingenting märka eller ana. Hon var helt ung, aderton eller kanske tjugu år. Hon var varken rikt eller fattigt klädd, men hon bar huvudet sorglöst och lätt och kanske också litet stolt, och smärt och rak gick hon sin väg fram med det bruna håret lysande i solskenet och log emellanåt för sig själv. Han följde henne på avstånd, hon gick uppåt Östermalm och försvann till sist i en port.

Så hade hon kommit för honom igen i skymningen, då han satt i gungstolen och letade efter rim, och hon lämnade honom ingen ro, han kastade pennan och gick ut. Det var icke solsken längre, det snöade. Han kom till det stora grå huset, där han hade sett henne gå in, han gick av och an på trottoaren mitt emot och såg det lysa upp i ett fönster här och ett fönster där. Vem var hon? Han erinrade sig att han hade sett henne hälsa på en herre som han kände. Han gick upp i trapporna och läste namnen på dörrarna, och till sist fann han sig själv barnslig och dum, fällde upp rockkragen och gick åter ut i snön. Den första flicka, som gav honom en menande blick, tog han under armen och följde henne hem.

Nu stod han där i hennes kammare, han stod stel och tyst och betraktade henne, medan hon löste upp sina kläder och pratade och gnolade. Han frågade sig knappt om hon var vacker. Han visste blott, att hon kunde ha varit vackrare utan att därför fresta honom mera och fulare utan att därför fresta honom mindre. Hon var märkt av sitt yrke. Hon var ung ännu, och likväl såg man att hon för länge sedan hade tröttnat att välja och rata bland sina kunder. Med samma vana rörelser av sin hand, en arbeterskas grova hand, häktade hon upp sitt tarvliga snörliv för vem som begärde det av henne, för löjtnanten och bokhållaren, justitierådet och kyparen, och hon gjorde ingen åtskillnad emellan dem om icke möjligen den, att hon i sitt hjärta föredrog kyparen, emedan han var mindre högmodig än de andra och förstod henne bättre. Var kom hon ifrån? Kanske från en bakgård med soptunna och avträden, kanske från ett torp i skogen. Det senare föreföll sannolikast, det fanns ännu något av skogstjärnet i ögonen. Glad bland andra glada barn hade hon sprungit barbent i backarna och plockat smultron. Redan tidigt hade hennes jämnåriga lärt henne att bita i den förbjudna frukten. Så hade hon kommit till staden, och det hade gått henne som många andra. Det var kanske ingen nödvändighet i och för sig, hon kunde också ha blivit en arbetares hustru om hon hade velat, men hon fann deras lott hårdare och hon hade utan att tänka mycket gått den väg, som låg bäst jämnad för hennes fot. Med litet mera förstånd och bättre tur kunde hon väl också ha blivit en borgarfru, som går på torget med sin jungfru och prutar på pepparrotsköttet ...

— Nå, sade hon, skall du inte klä av dig?

Han stirrade stelt på henne och förstod plötsligt ingenting av alltsammans, varför han hade kommit och vad han ville henne. Han mumlade något om att han inte mådde bra, lade några kronor på kommoden och gick. Hon blev icke ond, hon såg blott förvånad ut och kastade icke något glåpord efter honom i trappan.

Det snöade alltjämt. Skulle den då aldrig ta något

slut, denna vinter? Det led ju mot slutet av mars, och träden dignade av snö och det var bittert kallt...

Martin var trött, han satte sig på en soffa under ett av de vita träden och lät snön lägga sig i drivor på hatten och skuldrorna.

— Vad göra vi med vårt liv, vi människor?

Det liv han levde, den fattiga glädje han sökte och stundom också fann, föreföll honom i detta ögonblick som en dårhusfantasi. Och likväl var detta liv det normala. De flesta män han kände levde så. Han var tjugutre år. I fyra eller fem år hade han redan varit med i leken, han borde ha hunnit vänja sig...

Nej, han förstod icke människorna, och han förstod icke heller sig själv. Han lyssnade ofta till sina kamraters och umgängesvänners samtal om dessa ting. Han hade märkt, att de flesta aktningsvärda unga män, och de gamla för resten också, trodde på två sorters kärlek, en ren sort och en sinnlig sort. Unga flickor av bättre familj skulle älskas med den rena sorten, men det betydde förlovning och giftermål, och det hade man sällan råd till. I regel var det därför bara förmögna flickor, som kunde inspirera en ren kärlek, eljest hörde denna känsla mera hemma i lyrisk poesi än i verkligheten. Den andra sorten däremot, den sinnliga, kunde och borde en normal ung man ägna sig åt ungefär en gång i veckan. Men hela denna sida av tillvaron ansågs icke ha någon allvarlig betydelse, det var icke något som kunde göra en människa lycklig eller olycklig, det var enbart komik; ett stoff till roliga historier och en lika angenäm som hygienisk förströelse, när man hade lyft sin avlöning och druckit en halva punsch. Men på mellantiderna sysselsatte hela det sexuella livet endast föga de aktningsvärda och hyggliga bland männen; de funno dess funktioner osköna och oanständiga, eller som de helst sade svinaktiga, emedan de icke kunde utföra dem utan att känna sig som svin.

Denna uppfattning var den härskande överallt i

samhället, och sådana förhållandena nu en gång voro förklarades detta sätt att leva vara det sundaste och klokaste, visserligen icke i prästernas predikningar, riksdagsmännens tal och tidningarnas ledande artiklar, men i det upplysta omdömet man och man emellan inom alla kretsar. Det ansågs nödvändigt för att de unga männen skulle kunna bevara hälsa och gott humör och för att de unga flickorna av bättre familj skulle kunna få behålla sin stora dygd. Och de unga männen drucko punsch och besökte glädjeflickor och blevo feta och rödblommiga och lyckades icke blott uthärda med detta liv som med ett eländigt surrogat, utan det tilltalade dem i så hög grad, att de ofta nog icke ens som gifta försmådde att göra utflykter till gamla ställen, som blivit dem kära. Och de unga flickorna av bättre familj fingo behålla sin stora dygd och tillfrågades för övrigt icke om sin mening, men för några av dem blev den dyra klenoden i längden för tung att bära...

Vad ha vi gjort med vårt liv, vi människor?

Lyckan, ungdomsglädjen, vart tog den vägen? Livet är inrättat för de gamla, därför är det en olycka att vara ung. Det är inrättat för de tanklösa och slöa, för dem som taga falskt för äkta eller till och med föredraga det falska, därför är det en sjukdom att tänka och känna, en barnsjukdom som man måste gå igenom innan man blir man...

En kvinnoskugga gled långsamt förbi soffan där han satt, och knappt hunnen förbi stannade hon, vände på huvudet och fäste på honom två stora mörka ögon.

Han reste sig, skakade av sig snön och gick sin väg. Han gick fort, ty han frös.

Han tänkte på livet och böckerna. I hans uppväxtår hade en ny litteratur brutit sig fram, som stod i strid mot den härskande samhällsmoralen och arbetade på att förändra den. Nu hade den tystnat. Det var dock så litet uträttat, nästan ingenting, och redan släppte man taget. Det man hade kämpat för och för vars skull man hade tagit och givit så vassa hugg, det befanns nu plötsligt vara "åttiotal" och som sådant en gång för alla slutrannsakat och dömt, vägt på en våg och befunnet för tungt. Runt omkring honom doftade i stället poesiens blå blomma som aldrig förr. Åter en gång klingade de gamla orden som nya; jorden blev ung på nytt, åter fylldes skogarna och vattnen av centaurer och nymfer, riddare och jungfrur lustvandrade i solnedgången, och åter en gång stod Visan själv med vidöppna ögon, klara av den långa sömnen, i folkets mitt och sjöng som hon icke hade sjungit på hundra år. Martin älskade denna poesi, dess rytmer och ord smögo sig in även i de vers han själv satt och petade med i skymningen, och likväl var honom allt detta så besynnerligt främmande. Världen var ju likväl densamma som förut, allt gick sin vanliga gång, och ingen seger var vunnen — var tiden inne att sjunga? Det är sant, när han såg närmare efter, fann han väl också i den nya diktningen idéer på grunden, och också dessa idéer stod i uppenbar strid mot den gängse moralen. Men det märkte endast få, och nästan ingen fäste något avseende vid det. Det var ju vers!

Det var vers; och som forum för idéer var och förblev poesien ungefär jämställd med kungliga operan. Också där kunde barytonen vråla mot tyranner utan att därför befara att gå miste om vasaorden, också där spelades förförelsescener i bengalisk belysning utan att någon tog anstöt; det som i det borgerliga livet av borgarfolk kallades svinaktigt, uppfattades i Faust och Romeo och Julia av samma människor som poetiskt och nätt och fullkomligt passande för unga flickor. Och på samma sätt i poesien. Idéer, inlindade i vers och vackra ord, voro icke längre kontraband; man märkte dem icke ens.

Skulle det icke ännu en gång kunna komma en man, som icke sjöng, utan talade, och talade tydligt!

... Han hade kommit utåt Strandvägen. Isen i Nybroviken var nyss uppbruten, en bogserbåt banade sig stönande väg mellan isflaken. Till vänster tornade några nybyggda millionärbaracker upp sig i snödiset, i en av dem lyste det redan av elektriskt ljus och slipade glasprismor ur en lång fil av rum, och i en stor sal rörde sig en vitskimrande härva av dansande par bakom gardinernas muslin.

Några ensamma vandrare hade stannat i en grupp och stirrade som fastnaglade mot paradiset där uppe. Martin stannade också en minut och gick vidare i tankar. Ett par takter av valsen hade trängt till hans öra, det var "Donauwellen"; han gick och gnolade på den och fick den icke ur huvudet.

O Eros, Eros. Skökans kammare, och festsalen däruppe ... I bägge templen dyrkades samma gud, och i bägge templen dyrkades han av samma män. Men kvinnorna...

Han dansade icke, och likväl älskade han baler. Han höll av att stå i en dörröppning och se de andra virvla förbi. Vad var det för en stämning över dessa ungdomens fester, som förtrollade honom och gjorde honom grubblande och sjuk av längtan efter det omöjliga? Se kvinnorna... Tätt tryckta i männens armar, med halvslutna ögon och munnarna öppna, svävade de oskyldigaste unga flickor förbi i dräkter, som blottade eller framhävde deras unga flämtande bröst. Vad tänkte de på, vad drömde de om? Där funnos väl de som tänkte på ingenting och drömde om strunt och icke hade någon annan längtan än att röra på benen och få litet motion, riktiga unga flickor efter mödrarnas och tanternas sinnen. Men sådana voro väl icke alla. Så oerhört hade icke människornas döttrar kunnat förändras sedan den icke alltför avlägsna tid, då ynglingar och jungfrur buro fallosbilder i procession, sjungande heliga sånger. Vad tala de om, de unga flickorna, när de sitta tillsammans och viska i en vrå? "Den är hemligt förlovad med den"; "han är kär i henne, men hon tycker om en annan". Vad handla böckerna om, som de läsa? Om detsamma: om några som äro kära i varandra, och hur det sedan gick, och vilka som fingo varandra. Att "få" varandra, vad betyder det? Det får man veta på bröllopsnatten.

Men åren gå, och bröllopet, det låter kanske vänta på sig. Den unga flickan blir tjugufem år, hon närmar sig trettio, och hon dansar ännu på balerna med halvslutna ögon, men munnen är icke längre öppen, hon vet nu att det ser opassande ut, och hon håller den krampaktigt sluten, ett blodrött streck. Kommer det då aldrig, det stora, underbara? Hennes blick är en drunknandes. Rädda mig, jag sjunker, jag går under. Ungdomen är så kort, se, min hy bleknar redan, min barm sjunker in och min unga blomma vissnar. Hon försöker med att vara utmanande och djärv, hon är rädd att hon har varit för blyg förut, det var kanske inte det rätta sättet... Men herrarna skratta redan åt henne i smyg, när de skåla med varandra vid punschen, och några håna henne öppet. Andra förstå henne bättre och tänka för sig själva, att hon skulle kunna bli en god hustru och en varm älskarinna. Men de ha icke lust att gifta sig, och att förföra en familjeflicka är för resten också en vidlyftig historia, och när de gå från balen kunna de ju lätt och utan vidare bråk hitta vägen till sitt gamla ställe, till kammaren med den rykande lampan, eller med en röd ampel från Leja i taket.

— Vad göra vi med vårt liv, vi män, och vad göra vi med *deras*?

Martin vände tillbaka inåt staden.

I ett gathörn träffade han en poet, som gick och frös i en tunn gulgrön ulster. Han var ett par år äldre än Martin och redan en smula berömd, ty han skrev med en fabelaktig lätthet de allra vackraste vers om vad som helst, mest om flickor och blommor och om juninätterna på den skånska slätten, som han kom ifrån. Han hade ett blekt ansikte och ett tunt rött skägg; och när han mötte en yrkesbroder, fingo hans stora barnaögon ett vilt och stirrande uttryck, som om han lade råd med sig själv och sade: skall jag mörda honom, eller skola vi gå in någonstans och förtära alkohol?

De gingo upp på Anglais och drucko grön chartreuse.

Poeten talade om sig själv. Han anförtrodde Martin, att han var dekadent. Han dyrkade allt som var statt i upplösning och förruttnelse och dömt att gå under. Han hatade solen och ljuset — och han knöt förbittrad näven mot gaskronan i taket — han älskade natten och synden och alla spritdrycker som skiftade i grönt. Han hade de flesta kända veneriska sjukdomar, och dessutom agorafobi. Ingenting i världen skulle kunna förmå honom att gå snett över Gustav Adolfs torg. Denna sjukdom beredde honom en alldeles särskild glädje, ty han betraktade den som ett förebud till paralysie générale. Och paralysie générale, det var den stora sömnen, det var Nirvana.

Martin lyssnade tankspritt. Ljuset är gott, sade han till sig själv, och mörkret är också gott. Men stundom är mörkret ont, och ljuset också ont...

— Men hur kommer det sig, frågade han, att dina dikter egentligen inte i något väsentligt hänseende skilja sig från dem som bruka få pris i akademien?

Vid dessa ord förmörkades skaldens blick, och hans läppar blevo plötsligt tunna och smala. Han tog upp en smutsig slidkniv ur fickan, drog ut den till hälften och lade pekfingret på den blottade klingan.

— Hur långt tål du kallt stål? frågade han.

— Du missförstår mig alldeles, sade Martin och lade lugnande sin hand på hans arm. Jag älskar dina dikter. Men jag ser bara inte riktigt sammanhanget mellan dem och ditt eget inre liv, som du nyss skildrade det...

Skalden log.

— Det var roligt att höra att du älskar mina dikter, sade han. Det som jag hitills har låtit trycka är nämligen bara skit. Det kan duga åt packet. Se här...

Och han tog upp ett tidningsurklipp ur fickan, en recension över hans senaste diktsamling, undertecknad med en känd signatur. Den ansedde kritikern beklagade milt, att några av dikterna icke kunde frikännas från en viss anstrykning av sensualism, som verkade obehagligt. I andra åter anslog skalden renare toner, ägnade att giva rika löften för framtiden.

— Jaha, det var ju vänligt, svarade Martin sedan han läst det.

— Vänligt? Skalden gjorde åter ett krampaktigt grepp i den ficka där kniven låg. Vänligt, säger du? Borde inte en sådan som han krypa i stoftet för de uslaste av mina dikter?

— Jo, sade Martin, jo, naturligtvis; men när det nu en gång inte brukas av äldre folk gent emot yngre...

Skalden teg och drack och teg länge.

Martin drack också. Den starka gröna drycken brände i hans gom och hans hjärna. Och åter var kvinnan från förmiddagen där, hon som gick i solskenet och log. Sov hon kanske nu, drömde hon, log hon i drömmen? Eller vred hon sig sömnlös på sitt läger i längtan efter en man?

Om han skulle skriva till henne. Han kunde ju lätt få veta vad hon hette? Nej. Hon skulle bara visa brevet för sina väninnor, och de skulle fnissa och skratta...

Kafét var nästan tomt. Längst inne i ett hörn satt en ensam stamkund gömd bakom en tidning. I en spegel på andra väggen skymtade en gammal gentleman med vita polisonger och en röd silkesnäsduk stickande upp ur bröstfickan. Han betraktade skänkfröken stilla och allvarligt. Hon var fet och röd och vit, röd av naturen och vit av puder, och hon stödde bröst och armar mot disken och liknade en sfinx.

Skalden utstötte en suck. Martin betraktade honom

— ett barns ansikte under den rödskäggiga rövarmasken — han kom att tänka på att han kanske hade sårat honom nyss, och han kände ett behov av att säga honom något vänligt.

— Vet du vad, sade han, om du rakade av dig skägget skulle du säkert komma att se ut som en ytterst liderlig munk.

Poeten lyste upp.

— Det har du kanske rätt i, sade han och sökte med blicken efter sin bild i spegeln. Jag har för resten skrivit dikter, som luta åt katolicismen. Du borde en gång läsa mina dikter, de riktiga, de som inte kunna tryckas.

— Ja, sade Martin, var bor du?

Poeten förklarade, att han inte bodde någonstans. Han hade icke haft någon bostad på tre veckor, och han behövde ingen. Han skrev sina vers vid kafébordet och sov hos flickor, och hos en av dem hade han sin grönrandiga nattsäck med några löskragar och Verlaines dikter, och där funnos också hans egna manuskript.

Martin började bli verkligt imponerad, men han fann intet uttryck för sina känslor, och tystnaden bredde sig åter mellan de två, som slumpen hade drivit tillsammans i ett gathörn.

Klockan slog tolv, gasen skruvades ner till hälften och skalden kände inspirationen närma sig med mörkret och började skriva vers på bordet.

Martin sade godnatt.

Stureplan låg vit och tomt. Det snöade icke längre, månen var uppe, och det var ännu mera bittert kallt. I öster öppnade sig en ny gata utan hus, som ett stort hål i en vägg. Åt väster bredde sig i måndimman ett insnöat gytter av gamla kåkar och murgavlar, och ur en av de syndens gator, som smögo sig fram mellan dem, genljöd kvinnoskratt och ljudet av en port, som öppnades och slogs igen.

X

Det var sent, då Martin kom hem, och han var trött intill döden men kunde icke sova. Det fladdrade svarta fjärilar för hans ögon, och tankar och rytmer kommo för honom, där han låg och stirrade ut i mörkret. Han reste sig i bädden och tände åter ljuset på nattduksbordet, där papper och penna lågo tillhands som alltid. Han kände ingenting av feber och överhetsning, blott en djup trötthet som väl smärtade men icke bedrog; han såg klart var tanken sviktade och behövde stödet av en rytm, ett stycke melodi; han ändrade och strök över, och det blev till sist en dikt.

Du däruppe,
som är döv och stum!
Du däruppe,
som kramar med din högra hand
det Godas doftande och friska frukt
och med den vänstra pressar
det Ondas maskbo, tungt av giftig stank,
och som till båda ser
med lika välbehag!
Du däruppe,
vilkens blick är skum
av all rymdens tomhet
— jag har en bön till dig.

En bön, en enda,
som du ej höra kan
och ej kan fylla:
lär mig,
lär mig att glömma,
att jag har mött din blick.
Ty se,
i unga dagar
jag danade mig själv en gud,
i min liknelse,
en varm och levande och stridbar gud,
och jag gick ut en vårdag
att söka honom genom värld och himmel.
Ej honom fann jag,
men dig.
Ej livets gudom,
men dödens fann jag, under livets mask.

Tag minnet av din åsyn bort,
förskräcklige! Det minnet är
en lönnlig sjukdom, är en mask som tär
mitt livsträds rot.
Jag vet det väl, med varje ödslat år
och varje dag som fåfäng rinner
den gnager närmare mitt väsens nerv.
Den gnager och den tär
allt det i mig, som är av mänsklig adel,
allt det som vågar, det som vill och verkar,
och skonar ej
det själens underbara, sköra ur
som visar Gott och Ont.

Säg, du däruppe,
är det din vilja
att dana om mig efter ditt beläte?
Var detta tydningen du gav åt ordet:
den Gud har sett, han måste döden dö?
Förskräcklige,
tvekar du ej att smitta
mig, människobarnet,
med dina gudalyten?

XI

Eftermiddagssolen föll in över skrivbordet och för-
gyllde allt, skrivtyget och böckerna och orden, som
han skrev på papperet. Röken ur skorstenarna steg
rak och stilla mot himlen, och i ett fönster mitt emot
lekte en ung judinna med sitt barn.
Martin skrev till sin syster.

"Kära Maria, tack för ditt brev. Mamma är då-
lig som vanligt, kanske litet bättre de sista veckor-
na. Pappa är sig lik, han blir bara tystare för vart
år. Det är alltså rätt stillsamt här hemma, ty som
du vet är jag heller inte den, som älskar fåfängligt
tal. Tiga är guld! Morbror Janne, moster Louise
etc. leva tyvärr ännu och ha hälsan, och det gör

för resten ingenting, eftersom vi i alla händelser inte lära få ärva dem. Men de reta mig alltid genom att fråga mig om mina utsikter i verket, om pappa inte är i tur att få vasaorden snart, om det är sant att din man begagnar morfin o.s.v. Eljest är det ju ingenting ont med dem.

Du frågar om jag skriver mycket nu för tiden — nej, mycket litet, men jag har däremot haft ett långt förordnande som amanuens, och i natt drömde jag så tydligt och klart, att pappa och jag fick en vasaorden ihop, emedan kungen inte hade råd att ge oss var sin.

Tack för inbjudningen att komma till er i sommar, men det lär väl inte kunna bli av — mitt förordnande kommer nog att räcka sommaren över. Tråkigt att din man är så nervös. Roligt att din lilla gosse mår bra. Alla hälsa.

Din bror Martin.

Han kuverterade brevet och lade det åt sidan.

Han satt och tänkte på sin syster.

Är hon lycklig? frågade han sig själv. Och han nödgades svara: nej, hon är icke lycklig. Hon vet kanhända icke av det själv. För sex år sedan var hon mycket lycklig, då hon blev gift och doktorinna och fick ett eget litet hem på landet att styra med, just vad hon mest hade drömt om. Och hon har icke gjort något plötsligt fall från lyckotinnarna sedan dess. Hon har bara helt sakta glidit utför, som det brukar gå med åren. Hennes man är älskvärd och begåvad och en skicklig läkare, men han stöter sig ofta med de rika i sin trakt och har mest praktik bland de fattiga. Därför är det stundom ont om pengar. Dessutom är jag rädd att hans hälsa är undergrävd, och hans lynne är emellanåt litet bittert. Likväl var han vid rätt gott humör när han senast var häruppe ensam, utan henne. Han roade sig så gott han kunde, och jag fruktar att han var henne litet otrogen.

101

En sällsynt fågel, lyckan...

Martin hade under dessa tankar åter börjat skriva. Han skrev långsamt och halvt på lek, en mening då och då, utan att rätt veta vart han ville hän.

"Du känner mig icke. Jag mötte dig en dag i solskenet. Det är veckor, ja månader sedan dess. Du gick på den sidan av gatan, där solen sken, du gick ensam med sänkt huvud och log för dig själv.

Det var en av de dagarna, då snön började smälta på gatan och trottoaren sken våt och blank. Du stannade i ett gathörn och hälsade på en gammal fru och talade med henne. Den gamla frun var mycket ful och mycket dum, och jag tror också att hon var litet elak, som dumma människor bruka vara. Men när du såg på henne och talade med henne, blev hon strax mindre elak och mindre ful.

Litet längre upp på gatan var det en herre som hälsade på dig, och du böjde på huvudet och hälsade tillbaka. Jag kände hur mitt hjärta blev bittert av avund, och jag följde honom med blicken, då han gick utför gatan. Men man kunde icke se på honom, att han nyss hade hälsat på dig. Man kunde snarare tro att han var en löjtnant, som nyss hade hälsat på en major.

Jag har mött dig ofta sedan dess. Du känner mig icke, och det är icke sannolikt att du någonsin får veta vem jag är. Du går i solskenet, jag går för det mesta i skuggan. Jag är likadant klädd som många andra män och jag undviker alltid att betrakta dig så att du ser det. Nej, du kan icke få veta vem jag är.

Du har en lampa med en gul skärm. I går stod du länge vid fönstret i det gula skenet, sedan du hade tänt lampan, och såg på stjärnorna. Du gick till fönstret för att rulla ned gardinen, men du glömde dig kvar en liten stund. Mitt för ditt fönster stod en stjärna, som brann klarare än de andra. Jag kunde icke se den, där jag stod inklämd i en liten svart port mitt emot huset där du bor; men jag vet att den nu om vårkvällarna står just så, att du måste se den från ditt fönster. Det är Venus.

Du känner mig icke, och jag känner icke heller dig annorlunda än jag känner de kvinnor, som stundom göra mig den stora glädjen att besöka mig om natten i mina drömmar. Det är därför jag kallar dig du. Men bland dessa kvinnor är du sedan en tid den enda, de andra ha övergivit mig, och jag känner heller ingen längtan efter dem.

Läs detta brev och bry dig icke om det; bränn upp det om du vill, eller göm det nederst i din lilla lönnlåda, om du vill. Läs det och bry dig icke om det, gå som förut i solskenet och le i dina egna lyckliga tankar. Men du skall icke visa det för dina väninnor och låta dem fnissa och fnittra åt det. Om du gör det, skall du tre nätter å rad icke kunna sova för onda drömmar, och en liten djävul ifrån helvetet skall sätta sig på din sängkant och se på dig från kvällen ända till morgonen.

Men jag vet att du icke gör det, du visar det icke för någon. God natt, min älskade. God natt!''

Martin satt länge med detta brev i handen. Vad kan det leda till om jag skickar av det? frågade han sig själv. — Till ingenting, förmodligen. Det sätter hennes fantasi en smula i rörelse, hennes unga flickslängtan får kanske en liten stöt i riktning mot det obekanta och nya. Hon kommer kanske att visa brevet för sina väninnor, eftersom tron på djävlar numera är i avtagande; men hon kommer icke att bränna det. Hon gör sig kanske lustig över det, och hon anser det måhända till och med för sin plikt att känna sig förnärmad. Men i verkligheten kommer det att göra henne glädje, och om hon en gång efter naturens ordning blir gift och får barn och åldras i hushållsbekymmer och med vart år sjunker djupare ned i tillvarons tröstlösa enahanda, då kommer hon att erinra sig detta brev och undra vem som skrev det och om det kanske var där det rätta lyckofröet låg gömt. Och hon kommer icke ens att minnas, att det någonsin har förtörnat henne. I verkligheten innehåller det heller ingenting som med rätta kan såra henne. Det visar henne bara att hon är åtrådd av en man; och då hon är tjugu år och från huvud till fot en synnerligt skön och härlig naturens skapelse, måste hon redan förut ha märkt att männen åtrå henne. Och detta gör henne alldeles icke förargad, utan tvärtom lycklig och glad, och det är därför hon går i solskenet och ler.

Under dessa tankar satt han likväl länge och vägde brevet i sin hand, som om det hade varit ett människoöde, tills han äntligen fann sin tvekan löjlig, lade in det i ett kuvert av tjockt och ogenomskinligt papper och skrev utanskriften med en tunn och intetsägande flickstil för att den icke skulle väcka någon nyfikenhet hos hennes anhöriga. Han hade utan att lägga i dagen något påfallande intresse lyckats få veta hennes namn. Hon hette Harriet Skotte. Hennes far hade en egendom på landet, inåt Mälaren, och hon bodde nu över vintern i Stockholm hos några släktingar för att lära sig någonting; franska eller konstvävnad eller något sådant... För att bli förlovad, kort sagt...

Harriet Skotte. Han upprepade detta namn för sig själv och sökte göra sig reda för det intryck det framkallade. Han tog förnamnet särskilt och mumlade: Harriet, Harriet. Men det gav honom intet intryck av hennes väsen, det väckte blott en obestämd föreställning om något engelskt och blekt och blont, en sensation av teångor och välgörenhet och utkylda sovrum med fernissade golv som på ett sjukhus. Tillnamnet åter ledde blott tanken på släkten, på en farbror, som var kommerseråd, och en kusin, som var löjtnant på trängen. Men om han viskade hela namnet för sig själv: Harriet Skotte — då kom det in ett nytt element, som alldeles trängde ut de andra, då var det något helt annat och nytt, då kände han det som om hon själv gick genom rummet med det bruna håret lysande i solstrimman...

Han spratt till vid en ringning på tamburklockan, han hörde hur jungfrun gick och öppnade och hur en välkänd röst frågade om han var hemma. Han stoppade brevet i fickan, i nästa ögonblick öppnades dörren och Henrik Rissler stod på tröskeln och blundade mot solen, vars kopparröda strålar nu föllo vågrätt in i kammaren.

XII

Henrik Rissler hade kommit ned från Uppsala. Han hade nyss blivit färdig med sin licentiat och skulle nu om ett par veckor anträda en tur ned i Europa innan han skrev sin gradualavhandling "Om den romantiska ironien". Han hade ingen förmögenhet, men hans farbror — bankofullmäktigen, politikern, millionären — hade erbjudit sig att bekosta hans resa. Detta visste Martin redan av Henriks brev. Men innan han reste, skulle han vila ut några veckor. Han var litet överansträngd, ty han hade arbetat mycket för att så fort som möjligt komma lös från Uppsala, och han hade likväl fått tid över att skriva ett par kritiska studier i en tidskrift och därigenom blivit litet känd bland det tjugutal människor, som intresserade sig för sådant.

Martin väntade honom sedan ett par dar och hade en flaska vin och en ask cigarretter i beredskap.

Henrik skuggade med handen för ögonen mot solen:

— Här är allt sig likt, sade han. Här har tiden stått still.

— Ja, i det närmaste, svarade Martin. De ha bara byggt upp en stor fabriksskorsten där mitt över. Den har varit mig till rätt mycken förströelse i ensamheten. En tid arbetade jag i kapp med murarna, men jag blev efter. Jag började på en dikt, när de nyss hade börjat på skorstenen; nu är skorstenen färdig, men inte dikten. Den är vacker för resten, skorstenen, nämligen. I synnerhet i skymningen, som silhuett. Röken bolmar inte längre, man glömmer ändamålet; det är inte en skorsten, det är ett pelartorn, byggt av någon kaldeisk furste och präst, som stiger dit upp, när det blir natt, och mäter stjärnornas gång.

— Ja, sade Henrik, man glömmer ändamålet; och då först blir den vacker!

— Nej, svarade Martin, den blir inte vacker därför att man glömmer ändamålet, utan därför att man diktar om det till ett annat, som har förmånen av gammal vördnadsvärd poetisk tradition. Eljest höra fabriksskorstenarna redan i och för sig och utan all omdiktning till de vackraste bland moderna byggnader. De lova mindre än de hålla, och de äro åtminstone inga maskeradfigurer varken i gotik eller renässans.

Henrik smålog.

— Åttital! sade han.

Henrik Rissler satt på sin gamla plats i soffhörnet, Martin satt i gungstolen vid skrivbordet. De drucko vin och talade om Uppsala, om böcker och kvinnor och om en ny filosof vid namn Nietzsche. Och medan de talade, blev solstrimman, i vilken dammet dansade som röda gnistor, allt smalare och snedare och mera övermättat röd.

Martin betraktade Henrik. Han fann honom förändrad; ansiktet var magrare, starkare och mera manligt modellerat. Varför hade han sagt: Här är allt sig likt, här har tiden stått still? För *honom* hade tiden alltså inte stått stilla. Han hade upplevat något, men vad? Han var kär, förmodligen, han skulle kanske rent av förlova sig — med vem? Var det hans kusin Anna Rissler, hon tyckte om honom, det visste han — nej, det var det nog inte — var det Maria Randel, eller Sigrid Tesch?

— Det är eget, sade Henrik, har du känt detsamma? — hur pinsamt det är att söka gamla stämningar och inte finna dem. Att läsa om en bok, som man har hållit av, eller höra en opera, som man förr kunde lägga in allt möjligt i och litet till — och sitta tomhänt och undra, vart det tog vägen.

— Ja, sade Martin, det är en underlig och beklämmande känsla. Man känner det som om man hade förpliktelser att hålla mot sitt förflutna, som om man beginge en trolöshet... Och man kan inte göra något åt det. Varför är det egentligen så pinsamt, är det kanske därför att det inte finns någon kärandepart i målet, inga bestämt formulerade krav att bemöta? Ty käranden, det är inte den bok eller den musik som man har förlorat greppet på, inte stämningen som viker undan — käranden, det är ens eget gamla jag, och det är ju dött och begravet, det är upphävt och vederlagt av det nya, det har ingen talan att föra och likväl för det ett slags talan — där ligger motsägelsen, och det finns ingenting så pinsamt som en motsägelse, när den inte är komisk.

Henrik fortsatte tråden:

— Ja, du har rätt, det är mellan det gamla och det nya jaget striden står, och så länge det finns ett nytt, som är starkare, kan man ju alltid få bukt med skuggorna. Det är en ständig växling. Det gamla går, och nytt kommer — ja, det gamla går, det är egentligen det enda säkra, men hur länge kan man vara viss om att det kommer nytt i stället? Om tillförseln stannar en dag, om ingenting under solen vill vara nytt längre och man bara blir fattigare med vart år och var dag som går!

— Ja, sade Martin, sådant händer ibland. Och det finns exempel på att man då vänder på fjärdingen och får upp det allra äldsta, det allra dödaste och mest vissna och börjar dyrka det på nytt utan att se karikatyren. Det är nästan det värsta av allt. Hellre då det kända receptet: fattig, men stolt.

De sutto tysta några ögonblick. Solen var borta,

och likväl var det icke skymning ännu. Det var nästan ljusare i rummet än nyss, allt därinne hade bara plötsligt blivit blekt.

Henrik bröt tystnaden:

— Ja, sade han, det känns vemodigt att växa ur sig själv och sina gamla stämningar — men vad gör det, så länge man växer! Och vad är för resten vemod om inte vad busen sade om tandborsten: ett nytt njutningsmedel som överklassen har hittat på. Men vemodigt är det också bara så länge, som det blott rör sig om stämningar och musik och idéer. Egentligen är det något annat jag hela tiden har tänkt på. Jag har tänkt på kvinnorna och på kärleken. Kommer man in på det gebitet, då är det inte bara vemodigt längre, nej, så billigt kommer man inte ifrån det. Man är kär i en kvinna. Man vill att hela oändligheten skall ligga i den känslan. Och likväl kan man inte komma undan reflexionen som säger en, att den känslan måste vara underkastad samma växlingens lag som allt annat i världen, och att man en dag skall tröttna på den man älskar, som man har tröttnat på månskensmusiken i Faust. Jag har inte upplevat många kärlekshistorier, men tro mig, jag har aldrig, inte ens i min fantasi, börjat den leken annat än med den tysta bönen: måtte *hon* bli den första som tröttnar, och inte jag!

— Jag är rädd att den bönen i allmänhet inte blir hörd, sade Martin. Nog kan både en älskare och en äkta man bli bedragna, men det händer visst sällan när de önska det.

— Och likväl blygs jag för den bönen, ty jag vet att den går direkt ur mitt hjärtas stora feghet. Hur långt måste man inte ha kommit bort från det ursprungliga enkla och rättframma greppet på dessa saker för att kunna finna det saligare att bedragas än att bedraga! Och ändå finner jag det så. Vad betyder egentligen kärleken för mig, vad betyder den över huvud taget för en man! Hur skulle det kunna ligga något tragiskt i att en man blir bedragen i kärlek? Tar han det tragiskt så blir han ju komisk. Om en man vid upptäckten att han är hanrej avbryter läsningen av en god bok, så är han värd att vara det. Nej, kvinnorna... Med dem är det något annat.

Henriks blick stirrade ut i det tomma.

— Övergivna kvinnor, sade han, det är något särskilt med dem. Man kommer inte lätt förbi dem. — Jo, om de gräla och bråka och ställa till uppträden, då går det ju strax lättare, då blir det hela burleskt, man skakar det av sig och är fri. Då frågar man sig själv: hur har jag någonsin kunnat älska den där människan? — man övertygar sig lätt om att man aldrig har älskat henne, och så är hon ute ur sagan. Men de andra... som det pinsammaste av allt förefaller det mig vara att tänka mig den som jag älskar vissnad och blekt, undanskjuten, ställd på skuggsidan i livet, medan jag själv lever vidare... Det är en paradox, jag vet det, det kan aldrig inträffa; man kan inte samtidigt handla så och känna det så. Och ändå... Jag mötte nyss en gammal kvinna, här på gatan, strax utanför din port. Hon var gammal och urblekt och litet löjlig. Hon var också rätt fattigt klädd, en pauvre honteuse. Man ser ofta sådana gamla kvinnor, det var ingenting märkvärdigt med henne, ingenting som skilde henne från många andra hennes likar, annat än att hon med ens, när jag kom henne nära, föreföll mig så lik... Nej, jag kan gärna säga dig det med ens. Det finns en ung flicka, som jag håller mycket av. Jag håller så mycket av henne, att vi komma att gifta oss med varandra, kanske rätt snart. Det var henne hon liknade, trots skillnaden i ålder och i allt annat — det var för resten en sådan där obestämd likhet, som man kan tycka sig finna ett ögonblick och som i det nästa är som borta utan att man vet vad den bestod i. Men det ögonblicket var nog för mig, det gick en kyla igenom mig, en isning som om jag hade sett någonting förfärligt, och det tycktes mig bara värre därför att allting annars var som vanligt, solen sken och det gick folk på gatan... Hon som jag håller av stod för mig, hon gick förbi mig vissnad, undanskjuten, litet löjlig. Det föreföll mig som om inte ens den tanken, att jag själv vore död och låg under jorden, kunde vara någon tröst för mig i detta, den enda föreställning som kunde bringa någon lindring var den, att jag levde lika eländig och förtärd som hon.

De sutto länge tysta.

— Säg, frågade Martin slutligen, vem är hon, hon som du håller av? — Så vida du kan säga det. Känner jag henne?

— Ja, svarade Henrik lågt, du känner henne, och till dig kan jag säga det. Det är Sigrid Tesch.

Sigrid Tesch. Martin såg framför sig en ung och vek gestalt, ett stort mörkt hår, ett fint och regelmässigt ansikte. Han hade träffat henne ett par gånger, helt flyktigt. Han visste att hon hade gjort intryck på Henrik, och också i hans egna skymningstankar hade hon någon gång dragit förbi med ett blekt drömleende.

Så, det var alltså hon, Sigrid Tesch, som skulle bli Henriks brud...

— Ja, sade Henrik, är det inte oförklarligt, att man alls kan våga ge sig in i något sådant som kärleken... Och ändå!

— Ja, sade Martin, och ändå...!

De logo båda.

Henrik Rissler reste sig:

— Det har blivit skumt, sade han, vi se ju knappast glasen, går du med ut? Det är underbart ute i kväll. Så, du skall skriva — nå, vi ses väl snart igen, farväl!

XIII

Det var skumt nu, nästan mörkt, och Martin satt ännu i gungstolen vid skrivbordet och kunde icke förmå sig att tända lampan. Det var ännu litet vin kvar i buteljen, han slog det i sitt glas och drack. Han hade ställt upp fönstret för att låta röken driva ut. och genom trampet av fötter, som likt ljudet av hundra pickande ur steg upp därnerifrån, hörde han husporten öppnas och falla igen och steg som avlägsnade sig nedåt gatan — det var Henriks. Martin tänkte på hans kärlek och vad han hade sagt om den, och det slog honom strax, hur hans egen förälskelse vid blotta beröringen med denna smula verklighet löste upp sig och blev borta som dimma och dröm. Harriet Skotte... Han frågade sig själv: om jag i morgon får läsa i tidningen att hon är förlovad, eller gift, eller att hon är död — vad har det att betyda för mig? Ingenting, ingen mistad verklighet, ingen förhoppning ens som går i spillror, bara en stämning som brister och som snart skulle ha brustit ändå.

Han tog upp brevet, som han skrivit, ur fickan, bröt det och läste det igen. Jag bränner det, tänkte han. — Ja, varför bränna? Jag kanske kan få användning för det någon gång, i en novell.

Han kastade in det i en skrivbordslåda, bland andra manuskript. Och han sjönk åter in i drömmar.

Plötsligt stod modern i dörren. Hon höll en lampa i handen och böjde sig fram och såg på honom.

— Du sitter i mörkret, sade hon. Pappa har gått ut. Får jag sitta en stund här inne hos dig?

Martin nickade. Hon ställde lampan på bordet, gick efter sin lappkorg och sina sysaker och satte sig att sy.

Hon satt länge tyst, böjd över sitt arbete. Till sist lyfte hon upp sina ögon, stora av gråt och vakor:

— Säg, Martin, sade hon, du får inte bli ond; men en dag, när du var ute, kunde jag inte låta bli att dra ut en låda i ditt skrivbord och titta i dina papper. Annars skulle jag aldrig få veta vad du går och tänker på. Och det som jag fick fatt i gjorde mig så ängslig, att jag måste sätta mig ner och gråta. Jag förstod det inte, jag vet inte en gång, om det skulle vara vers,

111

eller vad det nu var, men jag tyckte att det bara var fullt av förfärliga hädelser. Jag blev så rädd, jag trodde nästan ett tag att du inte var riktigt klok. Jag vet ju, att jag inte förstår någonting, men så mycket kan jag ju alltid se, att du inte kan komma någonstans med att skriva på det sättet. Du kan ju ändå skriva rätt vackert, när du vill!

Martin teg. Vad skulle han svara? Han anade eller trodde åtminstone, att modern i verkligheten hade velat säga något helt annat, och att detta: att han inte skulle kunna komma fram i världen, egentligen bara var en nödfallsutväg, som hon grep efter då tankarna och orden sveko henne. Hon hade nog känt och anat, att dikten, som hon funnit i lådan, var ämnad att uppfattas helt annorlunda än hon nu låtsades tro, hon ville att han skulle förklara sig, att han skulle tala med henne om sina tankar, hon bultade på dörren: släpp in mig, låt mig inte stå utanför, jag fryser, det är så ensamt! Och likväl öppnade han icke dörren, han kunde det icke, han hade aldrig stängt den, den hade gått i lås av sig själv. Vad skulle han svara henne? Hennes ord hade fyllt honom med ett djupt missmod. Om han hade någon ärelystnad var det den att skriva så, att var och en med litet god vilja kunde förstå det. Han hade icke smak för något litterärt frimureri, han ville inte tro på en litteratur för de utvalda, och det hade icke heller undgått honom hur lätt det hände, att ingen ville vara utvald. Nu stod det med ens klart för honom hur hopplöst hans ideal var, det fanns ingen konst för alla och inga tankar för alla, tvärtom, de enklaste idéer i det tydligaste språk blevo blott sällan förstådda av andra än dem, som på förhand voro förtrogna med just den tankekretsen. Hur skulle han kunna tala med henne om sina tankar, då hennes ordförråd, sådant årens enformighet hade utbildat det, icke ens räckte till att uttrycka vad hon själv längst inne tänkte och kände? Den gud hans dikt handlade om, det var ju Spinozas gud, Världssjälen

— men den guden var ju bara ett tankeexperiment, medan hennes, moderns, åtminstone var en fantasiskapelse och som sådan alltid hade en smula mera liv och mera blod. Hur skulle han kunna förklara för henne, att det som hon kallade hädelser icke gällde hennes gud? Hon skulle ha svarat, att det bara fanns en gud. Han visste allt, vad hon skulle svara och säga, därför teg han och såg ut genom fönstret och lyssnade till lördagstrampet av trötta fötter nere på gatan och till regnet, som började falla mot fönsterblecket. Och det som hon hade sagt om hans framtid, vad kunde han svara på det? På det fanns det ju bara ett svar: att göra lycka, att bli berömd. Och det svaret kunde han icke ge. Vinner jag en dag en framgång, tänkte han för sig själv, en framgång som skulle kunna glädja henne, då lever hon väl inte mer. Så är det alltid. Varför skulle jag hoppas på ett undantag för henne och mig? Vad skulle han då göra, skulle han lägga armarna om hennes hals, skulle han stryka henne över håret och kyssa henne? Nej, det skulle inte ha fallit sig naturligt, han höll inte av den sortens bedrägerier och inte hon heller; han kände henne, hon skulle aldrig ha nöjt sig med det. Hon hade frågat, och det var ett svar hon väntade. Han kunde ingenting svara, och han teg.

Han teg och kände samtidigt, hur tystnaden sved i hans bröst, och då han icke kunde säga något, sökte han i stället med blicken hennes ögon, de ögonen som fordom hade lett så ljust och blått, när de sågo in i hans. Ja, det hände ju stundom ännu någon gång, mitt under middagen eller om kvällen vid tebordet, att hon såg på honom och nickade och log, ljust som förr, liksom mödrarna nicka och le mot sina små barn innan de kunna tala. Kanske hade hon en känsla av att tiden hade gått i cirkel, och att det leendet var den enda uttrycksform hon ännu hade i sin makt, då hon ville meddela sig med sitt barn. Just så skulle han ha önskat, att hon nu hade velat se på honom och nicka med huvudet och le med ett leende långt på andra sidan om allt det betydelselösa, som skilde dem åt.

Men hon log icke nu, hon satt tyst med händerna korslagda i knäet, och ögonen, som eljest hade så nära till gråt, stirrade nu tårlösa in i skuggorna som om de sökte och frågade: Äro då alla mödrar lika olyckliga som jag? Lika ensamma? Lika övergivna av sina barn?

Lamplågan fläktade till för nattvinden. Hon reste sig och sade godnatt, tog lampan och gick.

XIV

Martin satt länge vid fönstret.

Här hade tiden stått still, hade Henrik Rissler sagt. Ja, han hade rätt. Här stod den stilla, tiden. Det är med förändringarna man mäter tidens gång, jag har ingenting att mäta den med. Jag skulle inte ens veta att det är lördag i dag, om jag inte hörde det på trampet där nere.

Han kom att tänka på en gammal historia. Det var en gång en syndare, han dog en afton i sin säng. Nästa morgon vaknade han i helvetet, gnuggade sig i ögonen och skrek: vad är klockan? Men då stod djävulen vid hans sida och log och höll upp för honom ett ur, som icke hade några visare. Tiden var ute, evigheten var inne.

Evigheten; ingen brådska mer ...

Andra människor ha dag och natt, helgdag och vardag, jul och påsk. För mig flyter det alltsammans i ett. Är jag då redan bosatt i evigheten?

Och han tänkte vidare: i morgon är det söndag. Vad betyder det för mig? Det betyder, att jag i morgon är ledig från mitt skenbara arbete, och att jag alltså dubbelt starkt känner kravet från det, som skulle vara mitt verkliga. Men om vädret är vackert, går jag naturligtvis ut och går ... Så blir det i alla fall ingen riktig söndag, hur jag än gör. Vad är det för ett besynnerligt slags arbete jag har tagit för mig, är det inte bäst att avstå, medan det ännu är tid, att underkasta sig regeln, som gäller för de andra. Aldrig blir man färdig med detta, aldrig en känsla av vila och ro. Många frimåndagar, men aldrig en riktig söndag, aldrig mera!

Mitt skenbara och mitt verkliga arbete — hur länge skall jag ännu kunna hålla den illusionen uppe? Sanningen är, att jag är på god väg att få ett permanent förordnande, att jag om åtta eller tio år blir ordinarie, och att jag om fyrtio år får avsked med pension. Min stackars mor skulle kunna spara sig många bekymmer, om hon såg allt detta lika klart som jag nu gör. Men hon tror i sitt hjärtas oskuld, att det som jag skriver på några papperslappar om natten skall hindra min befordran, ty hon har ingen aning om människornas gränslösa likgiltighet för idéer. För att skada min befordran skulle jag vara tvungen att skriva personligt ovett om mina förmän, och varför skulle jag göra det? Det är ju beskedliga människor, och de ha skaffat mig gratifikationer och arvoden, oaktat andra hade förtjänat dem bättre. De ha visst fattat sympati för mig. Jag blir aldrig den, som sätter torpedo under arken, det ha de känt instinktmässigt, och de ha förmodligen rätt.

Han kände, att han skulle komma att försvinna i mängden. Han kunde icke avgöra, om han i grunden var lik alla andra och om det ödet alltså var hans rättvisa lott, eller om han kanske var för mycket undantag för att ens bland undantagen kunna göra sig gällande — han kände blott, att *regeln* med var dag höll honom starkare fången, och att han skulle komma att försvinna i mängden. Och det andra, hans diktning, vad var den, och vart kunde den leda? En gång, då han behövde pengar, hade han samlat ihop en bunt av sina dikter och gått omkring till förläggarna. Ett par av dem hade velat trycka dem, men ingen hade velat betala något. Nej, hade han svarat mycket allvarsamt, nej, räkna inte på min ärelystnad! Då han kom hem hade han åter ögnat igenom dessa vers och åter, som så många gånger förr, funnit dem likgiltiga och tomma. De flesta voro skrivna för att omedelbart kunna säljas till en tidning och buro också prägel därav. Och han sade till sig själv: hur tvetydigt blir icke allt sysslande med idéer för den, som icke har sin existens betryggad! Lika behändigt som prästen i en begravningsoration förstår att trolla om likets födkrok till en livsuppgift, lika raskt och obarmhärtigt vet tillvaron att för den, som icke har några räntor, förvandla livsuppgiften till en födkrok. Och om den då åtminstone blev en verklig födkrok, men nej, det blir den icke, det kommer avsmak och leda, man tröttnar på alltsammans och sjunker tillbaka, ned i mängden.

Ned i mängden; man gör som de andra, då fordras det åtminstone inga trollkonster mera, man får igen sin tidräkning, man har helg och söcken, arbete och vila; verklig vila...

Nattluften strömmade kall genom fönstret, han frös men kunde icke komma sig för att räcka ut armen och stänga fönsterrutan. Regnet droppade alltjämt, och som ofta, då han var mycket trött, började hans tankar att gå i meter och rim.

Jag sitter ensam i mörkret
och lyss till regnets fall.
Jag hör, hur det plaskar i droppar
mot fönsterbleckets metall.

Mitt bröst blir tungt av en ängslan,
min andedräkt blir kort.
Det är min ungdom, min ungdom,
som rinner i droppar bort.

VINTERNATTEN

I

Över Martins bord på ämbetsrummet svängde en elektrisk lampa med grön skärm sakta av och an på sin silkessnodd, som en pendel. Den hade blivit satt i rörelse nyss, då han tände den. Han sträckte icke ut handen för att stanna den, utan avvaktade lugnt den stund, då svängningarna saktade av och domnade bort i det omärkliga. Också över de andra borden skruvades lamporna upp, sex lysande gröna trianglar svängde långsamt av och an i rummets halvskymning, och vid fönsterna trevade magra skrivarhänder efter gardinernas snören för att draga till dem och stänga snön och vintermörkret ute. Martin älskade dessa gröna lampor, som icke hettade och icke luktade illa och vilkas ljus hade ädelstenens rena och kalla glans, och han längtade efter den dag, då det elektriska ljuset skulle bli billigt nog att tränga ända ned till de fattigas hem. Och just här, i detta stora, låga gamla rum med vitmenade väggar, just emedan detta hus var gammalt och hade korsvalv i porten och låga, smårutiga fönster i entresolen, där hans byrå låg, tycktes honom dessa gröna lampor ännu bättre falla in i stämningen; han såg däri en symbol av utvecklingens kontinuitet, en obruten kedja av händer och viljor, från dem som längesedan tröttnat till dem som ännu lågo i frö, det nya invävt i det gamla... Men där allt är gammalt, där kommer det in en luft av misär och förfall, och där allt är nytt kan bara den trivas och känna sig hemma, som själv är ny från topp till tå, från plånboken till själen.

Och Martin var icke ny, hans kläder voro icke nya

och icke heller hans tankar, han tänkte och visste icke stort annat än det, som andra hade lärt honom, några gamla herrar i England och Frankrike, som nu mest voro döda. Och om dessa tankar ännu beredde honom någon glädje, så var det mest därför, att tiden för längesedan tycktes ha glömt dem, som om de varit skrivna i rinnande vatten. Det blåste andra vindar nu, vindar för vilka han helst drog upp kragen över öronen, allt gick igen och alla lik tittade, men han ville inte se dem. Den svängande lampan över hans bord hade stannat, och han återgick till sina räkenskaper. Han nöjde sig icke längre med att sätta kråkor; han granskade samvetsgrant varje post och räknade igenom varje kolumn. Den första ungdomens motvilja mot ett mekaniskt arbete var för längesedan övervunnen, och han hade så småningom märkt, att dessa räkenskaper alldeles icke, som han först hade trott, voro fria från den ofullkomlighet, som vidlåder allt mänskligt. De voro tvärtom ofta behäftade med oegentligheter och fel; och då han stundom upptäckte ett sådant fel, gladdes han i sitt hjärta, men kände på samma gång en avlägsen dyning av sorg. Han gladdes, emedan han hade fått tillfälle att visa sitt stora nit och emedan han kunde räkna på sin rättmätiga procent av de belopp, som hans vaksamhet räddade åt statskassan; och han kände ett dunkelt minne av gammal sorg, då han erinrade sig att han fordom hade begärt ett helt annan slags glädje av livet. Stundom tänkte han också på den fattiga tjänsteman borta i Landskrona, Åhus eller Haparanda, som hade räknat miste, kanske under inflytande av gårdagens toddar, och som nu fick betala. Men denna tanke lämnade honom kall, ty åren hade lärt honom, att man måste draga gränser kring sitt medlidande.

Det var varmt i rummet, i kakelugnen glödde ännu resterna av en väldig björkvedsbrasa, ty man hade ingen anledning att spara på kronans ved i dessa tider, då man måste knappa in på bränslet hemma; och kammarskrivaren von Heringslake, vilken hade fyra tusen sex hundra i räntor och skötte sin tjänst med den behagfulla lätthet, som följer av en oberoende ställning, satt på huk framför kakelugnen och stekte äpplen på glöden. I hans blanka hjässa, som hans dödsfiende, revisor Camin, påstod vara en frukt av tidiga utsvävningar, men som i verkligheten lyste av den första barndomens oskuld, tindrade den triangelformiga reflexen av en grön lampa. Doften av stekta äpplen spred sig och stack Martin i näsan, och det grämde honom bittert, att han icke i allt hade samma åsikter om detta livet och det tillkommande som Heringslake, ty då hade han säkert blivit bjuden på ett äpple. Från revisor Camins plats ljöd för hundrade gången det gamla orakelspråket: det blir aldrig hemtrevligt här i landet förrän vi få skottpengar på bönder. Och vid det nedersta bordet, borta vid dörren, där det var dragigt och luktade vått från paraplyer och överplagg, var den yngsta generationen ivrigt sysselsatt med att sätta kråkor och sökte samtidigt viskande återkalla för minnet gårdagsnattens orgier och antalet förtärda punschhalvor.

Martin var ännu ung, ty i statens tjänst åldras man långsamt; men han hörde icke längre till de yngsta och behövde icke sitta i draget vid dörren. Han var bror med de flesta av sina närmaste förmän och äldre kamrater, och han undandrog sig icke heller plikten att i sin tur lägga bort titlarna med dem som voro yngre än han. Dessa ceremonier brukade försiggå på en gemensam sexa i december. Den skulle äga rum nu i dagarna, och anteckningslistan cirkulerade just på byrån; men Martin skrev icke på. Han hade annan användning för sina pengar, och det var bara en bland de nykomna, som han skulle ha velat lägga bort titlarna med, en ung man, som hade sin plats mitt emot honom vid samma bord och hos vilken det fanns något som föreföll honom bekant och väckte hans instinktlika sympati, den tomma och drömmande blicken och den mekaniska gesten, då han satte kråkor. Martin brukade ofta tala med honom om världens gång och gladde sig, då han stundom fick förnuftiga svar. Då han nu räckte honom anteckningslistan utan att själv skriva på, såg den andre upp och frågade med en ton, i vilken det kanske låg en nyans av besvikenhet:

— Kommer ni inte med på festen?

— Nej, svarade Martin, jag är upptagen på annat håll. Men vi, som stå över fördomarna, kan ju lägga bort titlarna ändå.

Den andre rodnade en smula, och de räckte varandra händerna över bordet.

— Säg, frågade den andre efter en stund, varför vill revisor Camin ha skottpengar på bönder?

— Jag tror egentligen inte att han vill det, svarade Martin, han vet nog rätt väl, att skottpengar på bönder skulle fördyra alla livsmedel ännu mera än tullarna. Han upprepar bara ett gammalt talesätt, som han har hört i sin ungdom, då han var extraordinarie. Det har slagit an på honom därför att det ger uttryck åt en kollektiv antipati, ett klasshat; och genomsnittsmänniskor ha alltid behov av att hata och älska kollektivt. Giv akt på det, det är ett av de säkraste kännetecknen på en låg ståndpunkt. Han tycker om fruntimmer, ämbetsmän, premiäraktörer och västgötar, ty han är själv västgöte, och han hatar bönder, judar, norrmän och tidningsskrivare. Det är sant, att bönderna litet väl snålt belöna de tjänster, som han och vi andra här på byrån göra fäderneslandet, och det är mest därför han hatar dem. Men de följa därvid samma grundsats som alla andra arbetsgivare: att betala så litet som konkurrensen tillåter. Om det uppstår brist på ämbetsmän, skola de betala mera.

Kammarskrivaren von Heringslake, som nu hade ätit upp sina stekta äpplen och återtagit sin plats vid bordet närmast Martin, vände sig om på stolen och betraktade honom sorgset.

— Du har inte något hjärta, sade han.

Klockan var över tre, här och där lade man ihop sina papper och bröt upp. Martin reste sig, tog rock och hatt, släckte sin gröna lampa och gick. Han hade sorgflor på hatten, ty hans mor var död.

II

Han tog vägen genom Västerlånggatan. Snövädersdagar som denna gick han nästan alltid den vägen, i den smala och buktande rämnan mellan de höga gamla husen var man till hälften som inne, i lä för de värsta vindilarna.

— Vinter, kyla... Besynnerligt, att det finns människor, som påstå sig tycka om detta väder. Heringslake, som har hjärta i bröstet och älskar sitt fosterland, anser köld vara att föredraga framför värme. Men när det är kallt begagnar han alltid päls. Föreställningen om helvetet som ett mycket varmt ställe röjer tydligen sitt ursprung från den heta zonen. Om nordbor hade uppfunnit det, skulle det tvärtom vara ett otäckt draghål, en härd för influensa och kronisk snuva. Men sådant detta klimat nu en gång är, har jag vant mig vid det, och det har kanske också gjort mig viktiga tjänster, som jag inte själv vet av. Man lägger ju matvaror på is, för att de skola hålla sig, allting håller sig längre i kyla, varför inte också människorna. Jag längtade en gång efter att förbrinna i en stor lidelses brand. Den kom aldrig, antingen jag nu inte var värd en så stor ära, eller vad orsaken var. Men nu efteråt har jag börjat misstänka, att en sådan där eldsvåda kanske snarare är en lusteld för åskådarna än något egentligt nöje för huvudpersonen. Elden är i vart fall tydligen inte mitt element. Kommer det en gång en riktig vårsol in i mitt liv, så ruttnar jag väl strax, av ovana vid klimatet.

Han stannade ett ögonblick framför en juvelerares fönster. De flesta av smyckena voro präglade av en gemenhet i smak, som höll honom skadeslös för att han icke kunde köpa något. En gång, det var just i dag för ett år sedan, hade han likväl köpt en liten ring med en grön smaragd. Och hon, som hade fått den, bar den ännu och ville icke bära någon annan ring. Hon sade, att hon inte ens skulle vilja bära en slät guldring. Nå, en sådan kunde han i vart fall inte bjuda henne ...

Jag är otacksam, sade han till sig själv, det har ju dock till sist kommit in en smula sol i mitt liv, kanske mer än i de flestas. Men jag har frusit för länge, jag har visst inte hunnit tina upp ännu.

Han hade kommit ut till Mynttorget, nordanstormen sopade igen hans ögon med snö, och nästan blind trevade han sig fram mot Norrbro. Han måste åter stanna för att hämta andan vid Looströms boklåda, där dagens berömdheter sutto uppradade i fönstret, Crispi, kung Milan och Taine, och mellan en excellens och en förfalskare upptäckte han ett ansikte, som syntes honom bekant. Det var en svensk poet, det var dekadenten, som en gång hade utvecklat sin världsuppfattning för honom på Anglais, vid en grön chartreuse. Han satt icke där, emedan han plötsligt hade blivit en stor man, utan emedan han var död.

Martin fortsatte hemåt.

— Äntligen en, som har nått sitt mål. Hans mål var litet ovanligt, och han nådde det icke heller alldeles så, som han hade tänkt sig det; han fick aldrig sina drömmars paralysie générale, ty han dog enkelt och anspråkslöst i lungsot. Men jag tror inte att han höll så noga på den detaljen, i verkligheten ville han bara gå under, likgiltigt på vad sätt. Och han hade kanske rätt, det är ett sådant mål man bör föresätta sig, om man vill hoppas att nå det under sin livstid. Det är sant, man kan också föresätta sig att bli millionär, eller biskop, eller statsråd, och också det målet kan man vanligen nå, om man på allvar vill det. De, som med en tillräcklig intensitet förstå att samla sin vilja mot ett enda mål, äro så försvinnande få, att konkurrensen knappast blir fruktansvärd. Alla vilja bli rika; men de flesta vilja på samma gång leva så, som om de redan vore det, de vilja ha det litet trevligt, sova middag, dricka champagne med flickor och så vidare, och så bli de aldrig rika, de bli inte statsråd eller biskopar ens. Den som vill stanna här och där på vägen och njuta en smula av livet, innan han har nått målet, han når det aldrig — och de andra, de få oförtrutna resenärerna, viljemänniskorna, som nå fram — vad ha de sedan kvar, när målet är nått? Å andra sidan är det kanske överflödigt att slösa någon särskild energi på det målet: att gå under. Det är ett mål, som helt visst kan nås för billigare pris, det närmar sig ändå, långsamt och säkert. Det bästa är kanske det, som den andre döde därborta i bokhandelsfönstret älskade så högt, medan han levde: ett stort träd och lugna tankar. Ty det är icke alldeles sant, vad messer Guido Cavalcanti sade, då han kände döden närma sig, att det är lika fåfängt att tänka och att handla. På ett sätt är det väl sant, nämligen så till vida, att slutresultatet alltid blir samma svarta grop, och som dödsbetraktelse ha messer Guidos ord sitt värde. Men från en annan synpunkt sett är det tydligt, att den, som är road av att tänka, i denna värld av oberäkneligheter dock alltid är en smula gynnsammare ställd än handlingens män. Ty för honom har minuten sitt värde i och för sig, oberoende av alla ovissa framtidsmål. Den som vill bli serafimerriddare eller påve och offrar allt, både tankens och kärlekens njutningar, för att nå det målet — och det första offret är åtminstone oundgängligt — och sätter ett fiskben i halsen och dör, innan han nått det, hans liv är ett ingenting, en försats utan eftersats. Men den, vars tyngdpunkt ligger i tanken, hans liv kan klippas av när som helst och är dock som ormen i folktron: det lever lika fullt, det har sitt värde också som fragment, ja, det har noga räknat aldrig givit sig ut för att vilja vara något annat än ett fragment. Ty den, vars tyngdpunkt ligger i tanken, kan icke sätta sig något mänskligt mål före, eller om han stundom gör det, då är det oväsentligt och likgiltigt, och det har ingen betydelse om han når det eller förfelar det.

Martin hade kommit upp åt Östermalm och var nästan hemma, han var hungrig och längtade efter middagen, men han stannade likväl i ett gathörn och såg upp mot ett fönster högt uppe i en fjärde våning.

Ja, det lyste däruppe, hon var alltså hemma, det visste han för övrigt redan och han visste också att hon väntade honom efter middagen. Och på kvällen skulle de gå på teatern tillsammans, de skulle sitta i en avantscen, bakom ett galler, där ingen kunde se dem.

Han hade fått en väninna. Slumpen hade fört dem tillsammans. Hon satt i ett livförsäkringsbolag om förmiddagarna och räknade pengar. Hon arbetade för sitt uppehälle, hon hade visst en gammal far någonstädes borta på landet, en pensionerad jägmästare, som skrev brev till henne tre gånger om året, men hon var självständig och berodde av ingen. Liksom andra unga flickor hade hon länge drömt om en regelrätt lycka och vaktat sin skatt och hoppats bli gift. Hon hade haft tycken och varit förälskad i män, som icke ens hade märkt det. Men dessa små lågor hade slocknat, då ingen gav dem näring, och om blott en icke alltför löjlig eller motbjudande man hade velat räcka henne sin hand, skulle hon väl med lätthet ha kunnat invagga sig i den föreställningen, att hon älskade honom. Men hon hade sett åren rinna bort, hon hade dansat om vintern och cyklat på sommaren, och många män hade med blickar och halva ord låtit henne gissa, att de gärna ville äga henne; men ingen ville gifta sig med henne, ty hon hade ingen förmögenhet och tillhörde ingen inflytelserik familj. De sparsamma och anspråkslösa bland männen skrämdes dessutom tillbaka av hennes elegans, ty hon hade en fin och säker smak och två flitiga händer, och många nätter satt hon uppe vid sin lampa och sydde av billiga stuvar och gamla lappar ihop dräkter, som sedan för oerfarna ögon gjorde intryck av att ha kostat mycket pengar, och som hos en och annan av de mest skeptiska till och med väckte tvivel på hennes dygd. Likväl var hon icke vacker nog för de män, vilkas känslor bestämmas av deras fåfänga; och hennes väsen hade icke heller något av det ljuva och fåraktiga, som är ägnat att fånga dem, vilka vilja vara herrar i sitt hus eller som bara helt enkelt ha tröttnat på ungkarlslivet och därför se sig om efter en snäll och söt och billig och lydig hustru. Både hennes eget väsen och hennes yttre omständigheter voro sådana, att hon icke hade stora utsikter att bli älskad av någon annan orsak än kärlek, och hon hade småningom börjat ana, att denna känsla, om vilken det talas och skrivs så mycket, i verkligheten är föraktad och undanskjuten och ytterligt sällsynt. Hon hade tänkt över allt detta, hon hade känt minuterna rinna bort som sand ur sina händer och funnit, att de år hon hade att vänta skulle bli ännu eländigare och värdelösare än de som gått, och att den klenod hon bevakade med var dag förlorade allt mera i värde. Mest av allt hade det skrämt henne, hur hastigt de kvinnor åldras som leva utan män, så vida de icke höra till de lyckliga, som icke känna någon stark åtrå eller saknad. Men hon hörde icke till dem, nej, hon var en verklig kvinna, och hon visste att hon var det. Den åtrå, som i hennes första ungdom bara hade varit en ljuv och obestämd längtan, en dröm om lycka av sällsam och okänd art, den brände nu som ett gift i hennes blod, och av hennes första skygga flickfantasi, som knappast vågade sig längre fram än till en kyss i skymningen, mellan rosenhäckar, hade det med åren blivit en bilderbok

125

mycket värre än den, som John Blund i sagan visar de stygga barnen. Hennes blick blev sökande och spörjande, och hon försökte samla sig till ett beslut. Hon hade nästan uppgivit hoppet om en man, det var en älskare hon sökte, och även honom sökte hon länge förgäves. Icke så, att det icke fanns gott om män, som gärna ville föra henne ut i dansen, det fanns tvärtom många, och hon kunde välja. Hon såg sig om i kretsen, hon flirtade åt höger och vänster. Hon blev mindre rädd om sitt rykte än förr, och hon gick till hemliga möten med män, som hade kurtiserat henne en afton på en bal. Men de förblevo henne främmande, och var gång det närmade sig till ett avgörande, överväldigades hon av blygsel och blev plötsligt iskall av rädsla och motvilja. Ty var gång, då ögonblicket kom, läste hon i mannens blickar hans hjärtas outgrundliga råhet: hon läste så tydligt, som om det stått skrivet på ett vitt papper, att det som för henne var ett helt nytt liv, kanske undergång, kanske räddning, det var för honom ett galant äventyr; hon läste, att det som hon stod i begrepp att begå i hans ögon egentligen var ett felsteg, som han skulle ha överseende med blott så länge som det beredde honom nöje; och hon läste, att han icke blott ämnade övergiva henne mycket snart, utan att han också hade för avsikt att först lugna sitt samvete genom att visa henne sitt förakt. Hon såg allt detta och tröttnade på leken redan innan den ännu hade begynt, och hon frågade sig själv, om hon icke likväl helst borde följa dygdens väg, som i alla fall tydligen var den bekvämaste, och åldras och vissna utan vilja och utan hopp. Men då hon träffade Martin, blev allt detta annorlunda, och då hon gav sig åt honom, kände hon ingen rädsla mera, ty hon såg, att han hade förstått henne och att hans tankar icke voro som de andras, och hon kände att han älskade henne. Och för honom kände hon ingen blygsel och låtsade heller ingen, ty hon hade redan syndat så mycket i sina tankar, att verkligheten föreföll henne oskyldig och ren. Hon var icke ung längre, hon närmade sig de trettio liksom han. Hennes hy var redan märkt av den första frosten, och svikna illusioner hade gjort henne bitter i hjärtat och ful i munnen. Men det bittra hjärtat klappade varmt och fort när det vilade mot hans, och de fula orden gjorde icke munnen mindre ljuv att kyssa.

III

Martin satt ensam med sin fader vid middagsbordet, inom samma rundel av gult ljus, som hade omslutit hans barndoms sömniga vinterkvällar. Martin Birck och hans fader hade sällan något att säga varandra. De tänkte olika om allt, utom om livsmedelstullarna. Denna brist på överensstämmelse var likväl icke något som gjorde dem sorg, de tillmätte den ingen nämnvärd betydelse. De visste båda, att olika släktled tänka olika, och de funno det naturligt. De kände icke heller tystnaden som något pinsamt eller tryckande, den var blott det självklara uttrycket för att ingenting hade passerat, som kunde giva anledning till meningsutbyte. När de pratade med varandra var det mest om befordringar i ämbetsverken och om nya hus. Ty Martins fader intresserade sig för sin stad. Om söndagarna gick han ofta långa promenader till avlägsna stadsdelar och såg, hur nya kvarter sköto upp ur jorden, och tänkte på hur Stockholm hade utvecklats sedan hans ungdom; och han fann alla nya hus vackra, isynnerhet om de voro stora och präktiga och hade många fönster och små torn i hörnen. Och då Martin hörde fadern tala om alla dessa fula hus och kalla dem vackra, tänkte han på hur orättvist livet är, som just för de bästa och nyttigaste samhällsmedlemmarna så obevekligt stänger vägen till skönhetslandets inre trakter. Ty vägen dit går genom tungsinnet, det finns ingen annan, och det var icke för ro skull den grekiske musikern svarade Alexander: må gudarna aldrig göra dig så olycklig, herre, att du lär dig förstå musik bättre än jag. Men Martins fader hade haft en alltför bekymmersam ungdom och en alltför strävsam och pliktuppfylld mannaålder för att kunna veta något om det svårmod med vilket livet straffar dem, som mera tänka på skönt och fult och gott och ont än på det dagliga brödet.

Också denna dag småpratade fadern om ett och annat vid kaffet och cigarren, han talade om en herrmiddag, som han hade varit med på dagen förut och där han hade suttit och varit generad för sin vasaorden; ty han hade gått med det stora, officiella formatet, som var det enda han ägde, medan de andra herrarna hade haft små nätta miniatyrordnar.

— Och på det sättet, sade han, såg jag ju ut som den största token i sällskapet.

— Ja, sade Martin, skenet var tydligen emot pappa. Men i verkligheten utgjorde de andras miniatyrordnar just det säkra beviset på att deras narraktighet var större, eftersom de för sina ordnars skull hade underkastat sig andra utgifter än de strängt nödvändiga.

— Ja, svarade fadern, det var också vad jag tänkte, men jag skämdes i alla fall.

Samtalet domnade bort. Martin hade kommit att tänka på några ordenshistorier, som han hört: om mannen som fick vasaorden, emedan han hade skänkt blommor till Sofiahemmet de dagar, då drottningen skulle komma dit, och om mannen, som fick nordstjärnan för att han köpte ett hus. Men han kom sig icke för att berätta dem, ty då han tänkte närmare efter föreföll det honom möjligt, att dessa historier, som han fann så lustiga, kanske icke skulle göra fullt samma verkan på den gamle, som hade förvärvat sin orden genom fyrtioårigt, torftigt lönat arbete i statens tjänst och som därför knappast kunde undgå att betrakta den med ett visst allvar, om han också skämtade över den i ord.

Tystnaden bredde sig omkring dem, fadern rökte sin cigarr och såg ut i mörkret, som lurade bakom fönsterglasen, och Martin satt i tankar. Han tänkte på hemmets historia, hur det som andra hem hade blivit till och växt och blommat, och hur sedan banden hade brustit, ett efter ett, systern gift, modern död. Den bästa tiden, blomningstiden, det är väl för det mesta den, då barnen nyss ha vuxit upp och de gamla ännu icke äro riktigt gamla. Det är sant, han hade ofta hört gamla kvinnor säga, att den lyckligaste tiden är den, då barnen äro små. Ja, det kan ju så vara, för mödrarna. Men han erinrade sig de åren, då systern nyss hade vuxit upp och skulle giftas bort. På den tiden var det glatt därhemma, ungdom, vänner, musik. Pianot, som nu var stumt, gömde ännu på de gångna årens valser och operapotpurrier, och ofta, när han låg vaken om natten, hörde han ännu för sina öron de norska visor, som man sjöng den tiden, "Han tvær over Bænkene hang" och "Jeg beder dig ikke om Rosen paa dit Bryst". Sånger, i vilka det ännu levde ett stycke av hans ungdom, och som nu tycktes honom fyllda av all det förflutnas underliga melankoli. Så hade det med ens blivit tyst, tystare med vart år, tills fadern en dag satt ensam med sonen i ett tomt och splittrat hem. Och han betraktade sin far och frågade sig själv: vad kan jag vara för honom? Oändligt litet, måste han svara. Nästan intet. Hon, som han hade älskat ända från ungdomen, låg nu under jorden, under en liten översnöad grå sten, och kunde icke värma hans ålderdom. Elden på härden var på väg att dö ut. Han var den, som borde tända den nya flamman. Han kände, att det är detta de gamla, när livet eljest förlöper normalt, ha rätt att begära av de unga: att få se kedjan fortsättas, ett nytt hem, och barnbarn att gunga på knät. Det är så naturen har anordnat det, den strävar överallt efter att dölja döden med nytt, ungt liv, liksom vi själva dölja liken under blommor, förintelsen blir lättare att nalkas så, vägen stupar väl nedåt, men man går den under lek och pjoller, som då man började resan. Men på detta enkla och stora krav kunde han ingenting svara. Det är sant, han kunde ett och annat, han trodde icke att det fanns någon art av skönhet till i världen som var honom främmande och ingen tanke eller nyans av en tanke, som han icke kunde följa, och dessutom kunde han granska statens räkenskaper och rita karikatyrer i kanten och dricka rätt mycket whisky utan att mista bruket av sitt förstånd och kanske ännu några andra småsaker. Men han kunde icke bygga ett hem. Ingen möjlighet, ingen tanke ditåt. En hantverkare, en arbetare kunde det, men icke han. Han kunde icke trolla fram de fyra tusen om året, som en fattig familj av medelklassen behöver för att leva. Och om han också en gång kom därhän, och det skulle han väl göra med åren, då var han redan gammal, och fadern död, och hon, som han älskade, vad hade det blivit av henne?

Men det är sant, han visste väl, att den gamle åtminstone icke medvetet ställde något sådant krav på honom. Tvärtom, fadern förstod klart, hur omöjligt det var. Han hade intet hopp att få se en fortsättning av sin stam, att få åldras i en omgivning av framtid och löften och nya skott. Men Martin förstod, att just detta, att han icke ens kunde hoppas, låg över honom som en dunkel sorg och gjorde hans skymning ännu mera grå och tom. Han hade eljest haft sorger nog. Av dotterns giftermål hade han endast haft föga glädje. Hennes lilla gosse var död, och hon hade nyligen skrivit hem, att hon ville skiljas från sin man.

——— Elden dör ut på härden. Vem skall tända den nya flamman?

Fadern gick in för att sova middag.

Klockan var fem, och Martin klädde sig för att gå

till henne, som väntade honom. Han klädde sig i säll-
skapsdräkt, oaktat de skulle vara ensamma och osed-
da. Han hade lovat henne det, ty det var deras bröl-
lopsdag.

IV

———— Hon stod vid toaletten, där två smala ljus
brunno framför spegeln, hon hade nyss ordnat sitt
rika bruna hår, och innan hon fullbordade sin klädsel,
for hon ett tag med pudervippan över ansiktet för att
dämpa den hetaste rodnaden. Han satt bakom henne i
ett soffhörn, men deras blickar möttes i spegeln och
fastnade i varandra med ett långt leende. Ljuslågor-
nas darrning och avståndet, som spegeln förlängde,
gjorde detta leende hemlighetsfullt och skumt. Och
långt inne i det mörka djupet bakom spegelglaset dan-
sade en grön gnista från smaragden på hennes finger.

— Är du färdig snart? frågade han. Klockan är
snart halv åtta. Jag är rädd att vi gå miste om spöket.

Det var Hamlet de skulle se.

Hon vände sig om och strök honom över ansiktet
med pudervippan, så att han blev vit som en Pierrot.

— Dumma Pierrette, sade han och torkade bort
pudret med hennes näsduk, ser du inte, att jag är
blek nog ändå.

Hon böjde sig ned, tryckte hans huvud mot sitt
bröst och kysste hans hår.

— Jag är så glad, viskade hon, för att det är min
bröllopsdag i dag, och för att jag får gå med dig på
teatern och sitta i en liten vrå, där ingen ser oss.

Han smekte sakta hennes hand. Han kände ett
hemligt styng i hjärtat, då han hörde henne tala så, ty
han anade och visste att om det hade varit någon
möjlighet, så hade hon långt hellre velat sitta med ho-
nom på en plats, där alla kunde se dem. Men han
trodde icke, att hon hade tänkt på detta nyss. Aldrig

hade hon under det år som gått låtit undfalla sig en antydan om giftermål, och hon visste ju också alltför väl hur omöjligt det var. Men själv kunde han aldrig upphöra att känna det som en hemlig skam, att det icke stod i hans makt att skänka henne den lycka, som ligger i en aktad och säker ställning och i att icke behöva dölja något för världen. Och han kände det så, icke emedan det i någon vrå av hans själ låg kvar någon föreställning om en plikt att uppfylla eller om något förbrutet som skulle gottgöras, utan emedan han hade fått henne oändligt kär och gärna hade velat göra livet ljust för hennes öga och jämnt för hennes lilla fot, som hade haft så steniga vägar att gå, att det icke var underligt om den till sist hade trampat litet snett på skon.

Men han slog bort dessa tankar, han ämnade likväl icke fresta det omöjliga, han var ingen stark man, som kunde taga henne i sina armar och bryta väg för dem båda. Och hon hade ju valt själv. Hon hade också känt starka män, sådana män om vilka kvinnorna bruka säga: det är en verklig man; och om hon hade velat, kunde hon ha givit sin kärlek åt någon av dem, de skulle icke ha försmått den. Men hennes instinkt hade stött henne tillbaka med spådomar om olycka och skam. Ty, eget nog, just de starka männen handla blott sällan så, som han hade velat handla om han kunnat, de äro starka just emedan deras känslor alltid till sist, när det verkligen gäller något, gå i förbund med deras fördel, och de veta för det mesta att bättre placera sin styrka. Nej, de hade ingenting annat att göra, de två ensamma och förfrusna, än att tacksamt och utan alla krav på det omöjliga värma sig vid den lycka som fallit i deras händer och välsigna den dag, då de första gången drevos samman av blodets röst som sade dem, att de passade för varandra och att de skulle kunna vara varandra till glädje. I hemlighet dröjde han likväl ofta och gärna vid den avlägsna drömmen att en gång, om många år, kunna giva henne ett hem. Tanken på att hon vid den tiden redan skulle vara en gammal kvinna skrämde honom icke. Han hade en känsla av att hur tiden ilade, om hon än fick rynkor vid ögonen och grått i håret, aldrig kunde hennes unga, vita kropp bli gammal, den skulle ständigt förbli smärt och ung och varm som nu, och hur åren gingo och vinter efter vinter snöade ned hans ungdom och prickade hans själ och hans tanke med isnålar, alltid skulle hans hjärta som nu värmas vid hennes hjärtas slag, alltid skulle det när de båda möttes slå upp en gnista av den heliga eld, som värmer all världen.

Och medan han tänkte på allt detta, följde han med ögonen varje rörelse av hennes smala vita armar framför spegeln, åter sökte hans leende hennes, hon nickade åt honom med ett skimmer av hemlig lycka över hyn ännu under pudret, och långt inne i dunklet

såg han sitt eget ansikte med av ljusskenet maskaktigt skärpta drag nickande till svar som en kinesisk docka.

— Vi ha ju ingen brådska, sade hon. Vi törs i alla fall inte krypa in i vårt lilla hål, förrän ett bra stycke av första akten redan har gått, eljest kunde vi möta några bekanta i korridoren.

— Nej, du har rätt, svarade han.

Han hade för resten också tänkt på det.

— Man måste ha tankarna med sig, när man har det ställt som vi, nickade hon, det är annat än att sitta och hänga med näsan över en bok. Men är det inte nästan ett trolleri, när man tänker efter, att vi verkligen ha fått vara i fred ett helt år, och att ingen vet något! Jag tror till och med att folk talar mindre illa om mig nu än förr. Alla ha blivit så vänliga mot mig, både kamrern och kassörn och flickorna på kontoret. Men det är kanske därför att jag har blivit vackrare än förr — har jag inte? De se visst på mig att jag är lycklig, det stämmer dem milt och gör dem blida och

133

goda mot mig utan att de ana orsaken. Om de finge veta den!...

Martin höll icke av att höra henne tala om sin lycka. Det var något annat att läsa den i hennes ögon och hennes hy och att känna den i hennes kyssar, han trodde på den då, och ingen skrift kunde vara honom kärare att tyda än den. Men då han hörde henne tala om den, kände han det tungt över bröstet av bitterhet och beklämning vid tanken på hur litet han i verkligheten hade att giva henne och hur full av brister och skavanker hennes stackars lycka var, och han visste, att de korta minuter hon tillbragte med honom för henne fingo en så het färg just emedan hon måste betala dem med långa dagars och nätters ångest, ångesten för att plötsligt mista det, som hon hade vågat så mycket för att vinna, ångesten för att allt med ens kunde vara slut en dag och lyckoguldet vissna blad och hon själv ensammare och fattigare än någonsin förr. Denna ångest lämnade henne egentligen aldrig, han visste det. En gång, det var icke så längesedan, hade de stämt möte med varandra hos honom. Timmen närmade sig, han väntade henne, det ringde på dörren och han skyndade sig att öppna; men det var icke hon, det var en av hans vänner som kom för att sitta och prata en stund. Han kunde icke svara att han var upptagen eller att han väntade ett besök, vännen skulle ha mött henne i trappan och förstått alltsammans, han sade i stället, att han just var på väg ut i ett angeläget ärende, han kastade på sig rock och hatt, och de följdes åt. De hade icke kommit långt utanför porten innan han såg henne komma på gatan, hon fäste en villrådig och förskrämd blick på honom, och han hälsade på henne i förbigående, artigt och litet främmande, så som han måste hälsa för att icke röja henne. Han vek in på en sidogata för att bli av med vännen, och efter ett par minuter kom han på omvägar tillbaka till sin port. Hon gick därutanför, i regnet och smutsen. Han tryckte sakta hennes hand, och de följdes åt upp. Men då hon kommit innanför dörren såg han, att hon skakade av gråt.

Det behövdes inga förklaringar, hon hade redan förstått sammanhanget, men hans korta och kyliga hälsning i förbigående, medan han pratade med en främmande herre, hade varit nog för att pressa upp den hemliga ångesten i hennes blod, hon måste ha luft, hon måste gråta, och hon grät länge och stilla i hans armar.

Ja, deras stackars lycka, mycket hade den skänkt dem, men ordens klara och torra belysning tålde den icke, den for icke väl av att man talade om den. Det lugn, som följer med ett liv sådant att det kan visas upp för mängden och gillas av den, kunde all hans ömhet icke skänka henne, och den kunde icke hindra henne från att stundom i ensamheten känna blygsel och samvetsagg. Ty emedan livet hade visat henne två olika ansikten, som hon icke kunde se något sammanhang emellan, hade hon icke *ett* samvete, utan två. Det ena sade henne, att hon hade handlat rätt och att det en gång skulle komma en tid, då ingen längre kunde förstå varför man fordom hade höljt in kärleken mellan man och kvinna i skam och smuts och kallat den synd. Men det andra, det sade ingenting om framtiden, det steg djupt upp ur det förflutna, det talade med den döda moderns röst och med röster från hemmet i skogen och från barndomen, då hon ingenting visste om världen och sig själv, då allt var så enkelt och man bara behövde vara snäll, så gick det nog bra. Och kvällar, då han nyss hade lämnat henne och hon satt ensam i sitt hyrda rum med främmande, dumma möbler, bland vilka toalettbyrån med empirespegeln och den gröna stenskivan var det enda som var hennes och det enda som påminde om barndomshemmet, steg detta gamla samvete upp och viskade många gemena saker i hennes öron, det viskade, att både de kvinnor, som gifta sig med motbjudande män för att bli försörjda, och de stackars flickor, som sälja sin kropp av nöd, voro bättre än hon; ty de hade åtminstone en ursäkt, och hon hade ingen. Och det hjälpte icke, att hon tänkte på sin stora kärlek och försvarade sig med den, det gamla samvetet hade mycket väl reda på sig, och det viskade till svar, att det icke var han som hade tänt branden i hennes blod, den branden hade hennes eget begär blåst upp, det onda var hos henne själv, och hon var en förkastad varelse och borde piskas med ris i rådstun, som man gjorde förr i världen med lösaktiga fruntimmer. Och ännu värre saker hittade samvetet på och viskade i hennes öra, det viskade att han, som hon älskade, snart skulle tröttna på henne, ja att han redan hade tröttnat och att han föraktade henne i sitt hjärta, för att hon alltid var så villig till synd och aldrig hade nekat honom något.

Han visste allt detta, ty hon gav honom alltid del av sina bekymmer. Och alltid stod han lika undrande och förvånad inför denna tankegång: att samma begär, som hos mannen var så naturligt och enkelt och lika lätt att tillstå som hunger eller törst, för kvinnan skulle vara en brännande skam, som måste kvävas eller döljas — denna tankegång, som han aldrig hade kunnat fatta med sin känsla, om han än på eftertankens väg kunde följa den ända upp till dess ursprung borta i de äldsta tidernas skymning, då kvinnan ännu var mannens egendom och då det sinnliga hos henne väl var tillåtet, ja berömvärt, för så vitt som det gav uttryck åt hennes undergivenhet under ägarens vilja, men brottsligt och skamligt om det framgick ur hennes egen. Och så djupt sitter denna tankegång ännu rotad i männens hjärtan, att man i böckerna och i livet blott sällan får höra en man tala om en kvinnas ömma begär annat än med hån och löje, så vida de icke gälla honom själv och svara mot hans egen lust, och ofta icke ens då. Och så djupt sitter den ännu fast hos kvinnan, att ärbara fruar icke sällan i hemlighet känna blygsel över att de älska sina män och längta efter deras famntag, ja, han erinrade sig, hur han till och med en gång hade hört en allmän flicka indela sina likar i anständiga och slamsiga, och med de anständiga menade hon dem, som uteslutande tänkte på betalningen. Och i verkligheten var denna indelning riktigare och djupare än hon själv anade; den hade sin rot i årtusendens från ett släktled till det nästa ärvda kvinnopolitik, sådan nödvändigheten hade dikterat den från begynnelsen, nödvändigheten som bjöd att icke med givmildhet och slöseri sänka kursen på den vara, som var den svagares enda makt-medel och det enda som kunde rädda henne från att alldeles trampas ned av den starkare. Och om den stackars glädjeflickan hade varit litet mera bibel-sprängd, skulle hon till stöd för sin indelning också ha kunnat åberopa sig på profeten Hesekiels ursinni-ga förbannelser över den lättsinniga Ahala, som icke var såsom andra skökor, "dem man med penningar köpa måste".

Han förstod allt detta rätt väl, livet var för snålt för att kvinnorna skulle kunna vara frikostiga, och han dömde ingen av dem, icke ens de ärbara. Men han höll av sin givmilda väninna och tröstade henne så gott han kunde de dagar, då de stridiga rösterna i hennes inre hade skrämt henne och fyllt henne med ångest, och det var icke heller svårt för honom, ty då han var hos henne kände hon ingen fruktan. Men han visste också att det var dagar, ja veckor, då hon gick i en förtärande oro för att hon skulle kunna få barn, trots allt. Och han dolde icke för sig själv, att detta är den sjuka punkten i all hemlig kärlek. Han såg klart, hur ojämnt spelet alltid blir, när man kommer i närheten av denna punkt, hur all risk och fara i verk-ligheten ligger på kvinnans sida, och åter blygdes han i hemlighet över att det icke stod i hans makt att dela det bittra med henne så, som han delade det ljuva. Risken att få barn var först och främst hennes, och om den också undveks, så var saknaden och tomheten av att icke kunna tillåta sig moderskapets lycka också hennes, och det skar honom i hjärtat, då han en gång i skymningen såg henne taga ett främmande barn från gatan i sina armar och kyssa det. Men för henne skulle moderskapet ha inneburit ett förfärande elände, sådan världen nu en gång var.

Ingendera av dem var emellertid bortskämd av livet, de hade lärt sig att icke begära någon hel och oskadad lycka, och kärleken hade hjälpt dem att taga allt detta så, som det måste och skulle tagas.

Hon var färdig nu, hon släckte ljusen framför spegeln och väntade ett par minuter i mörkret, medan han gick före henne ned på gatan, för att ingen skulle möta dem tillsammans i trappan. På gatan vågade de någon gång gå i varandras sällskap, sedan det var mörkt, isynnerhet om det var disigt i luften eller regn och snö. Och denna kväll föll snön så tätt och vitt, att ingen skulle kunnat känna igen dem. Som skuggor utan namn och åtskillnad gledo människorna förbi dem i den vita natten. Tätt slutna till varandra, namnlösa själva och grovt typiska som de parvis förenade skuggfigurer barnen bruka klippa av ett hopvikt papper, banade de sig väg genom snön, hon höll hans arm tryckt mot sitt bröst, och de tego båda.

V.

Det var mörkt i salongen, och Martin hade skjutit upp gallerluckorna. Ingen kunde se dem och där han satt i sin vrå kunde han icke heller se något av vad som försiggick på scenen, han hörde blott vers och repliker kastas ut i mörkret och såg eller trodde sig se deras verkan på parkettens slingrande rader av bleka människomasker — en sluttande rabatt full av stora, besynnerliga blommor, färglösa som de plantor bli vilka leva utan sol, och icke vackra just, där de sakta rörde sig som under en ohörbar vind eller nickade till då och då på sina stänglar.

Han tyckte sig känna igen dem alla, antingen han nu verkligen så ofta hade mött dem på den gatans och de offentliga lokalernas scen, på vilken han själv var en kompars liksom de, att deras ansikten hade glömt sig kvar i hans minne utan att han visste det, eller det berodde på människoansiktenas benägenhet att samla sig i ett fåtal typer, så att man blott sällan tycker sig möta ett verkligen nytt ansikte.

Och några av dessa ansikten kände han för övrigt mycket väl. Där borta satt ju Henrik Rissler, hans vän ända från ungdomen. De träffades sällan numera, och det var skada, ty Martin kände ingen, som förstod sig bättre på vänskap, tankar och cigarrer än han. Men han var gift nu, sedan flera år tillbaka, och levde ständigt på flyttande fot. Han hade ännu icke hunnit till slutet på de nygifta hushållens eviga odyssé från en fuktdrypande våning till en annan, alltid långt ute i periferien, från Vasastaden till Söder, från Söder till Kungsholmen. Men Martin kände med sig, att de skulle komma att finna varandra ännu en gång, om livet blott ville ge dem bägge litet mera ro.

Och där, ett stycke längre ned, det lilla rynkiga ansiktet, som erinrade om ett barns och något om en gubbes också, var det inte också en gammal skolkamrat, var det inte Josef Marin? Han blev aldrig präst, som han skulle försöka bli för att göra sin gamla envisa mor till viljes. Men han blev aldrig riktigt befästad i tron. Ty väl är det ofta med tron som med aptiten, att den kommer medan man äter; men han hade aldrig hunnit dit, där ätandet egentligen börjar, och det fanns kanske också på botten hos honom en törst efter uppriktighet som gjorde den banan litet för besvärlig. Nu var han varieté- och begravningsrecensent i en stor tidning. Han skrev oförbehållsamt vad han tänkte och bemödade sig om att tänka så, som han trodde att redaktören tänkte; och redaktören, som var en satans karl och tänkte vad han ville, beflitade sig om att tänka så som han föreställde sig att bildat och förmöget folk i allmänhet tänkte. Och emedan dessa grundsatser alltid hade varit de bestämmande inom tidningen, hade den blivit omtyckt och ansedd och mycket gammal och vunnit ett stadgat rykte för omutlig redbarhet och opartisk sanningskärlek.

— Egentligen kunde jag lika gärna ha blivit präst, hade han sagt till Martin en dag, litet vemodigt, då de växlade några ord med varandra i ett gathörn.

... Och där, långt uppe i fonden, den bleka smala kvinnan, var det inte för henne han hade brunnit några vårkvällar för många år sedan, Harriet Skotte? Han hade visst skrivit ett brev till henne också, som aldrig blev avsänt. Ja, den tiden... Livet hade visst farit litet illa fram med henne sedan dess, hon såg inte lycklig ut. Hon var gift nu, och mannen satt bredvid. Han är fetlagd och mycket välklädd och ser ut som om han vore lackerad. Stackars lilla barn, hon har det inte riktigt gott med den äkta herrn, det ser man på honom...

Och han såg andra ansikten, kvinnor, som han kände en smula ehuru de icke kände honom, unga kvinnor som han behöll i vänligt minne emedan de någon gång utan att veta det hade gjort honom en smula rikare och lyckligare genom att sväva förbi honom på gatan som solbelysta skyar... Därnere satt en, som han kände väl igen, ty hon hade en gång märkt hans blick, och hon hade dragit åt sig kjolarna och givit honom ett ögonkast, som om han varit en mördare i Jack uppskärarens specialitet. Stackars lilla dam, tiden går, hon är inte ung längre, ty hon var redan då i sin efterblomningstid, och nu får hon väl inga sådana blickar mer, när hon går utför Sture-gatan...

Han var trött av att lyssna till ett och se på ett annat, de djupa och underliga gamla orden, som ljödo från scenen, sade honom i detta ögonblick intet, och han tyckte sig läsa i maskerna därnere i parketten, att orden studsade ohörda tillbaka också från dem, och att de knappast uppfattade mera av vad som försiggick på scenen än det rent pantomimiska. Man var redan inne i femte akten, han lutade sig tillbaka i sin vrå och lät de båda dödgrävarna kasta boll med vitsar och dödskallar som det roade dem bäst och sökte i dunklet sin väninnas blick. Men han fångade den icke, ty hon kunde se allt från sin plats och tog icke sina ögon från scenen. Och åter fingo orden färg och liv för hans öron, då han såg spänningen i hennes ansikte, och hela denna kyrkogårdsscen, som han icke kunde se, men som han kände så väl, tyckte han sig se speglad i hennes blick. Han såg Hamlet stå där i sin mantel av natt och gåtor och med Yoricks skalle i sin hand, han såg liktåget, kistan som sänktes ned, och drottningen, som strödde blommor i graven: ljuvt åt den ljuva! Han såg det sällsamma uppträdet i graven, de båda männen som brottades därnere, och han hörde Hamlets röst: jag älskade Ofelia!

Vad vill han, vill han riva henne upp ur graven? Om hon icke vore död, om hon reste sig ur kistan nu, röd och vaken som efter en lugn sömn, skulle han då taga henne i sina armar och bära henne bort och älska henne till dagarnas ände? Nej, det är inte så han menar. Han sade en gång, redan då hon ännu levde: min fröken, jag älskade er fordom. Han var dock ingen vanlig flyktig kavaljer, han hade icke glömt henne för en annan hovdam med smalare liv och större bröst, och likväl kunde han säga: jag älskade er fordom. Han kunde kanske säga det om mycket. Han hade också älskat solen, och blommorna och träden. Den blå luften hade han älskat, och vattnet och elden och den goda jorden. Han hade älskat allt detta, till alla fyra elementen och till livet självt hade han kunnat säga: jag älskade er fordom. Men det hade blivit annorlunda sedan, det var något som smög sig emellan allt detta och honom, något som tog honom i sin makt utan att fråga om lov och sköt undan allt det andra, solen och blommorna och kvinnorna och kvinnan, långt bort, så att han knappast såg det mera, annat än som genom en dimma... Och då han nu såg liktåget komma och hörde att den döda var den, som han hade älskat, mindes han plötsligt vad han hade ägt och förlorat, men han visste också, att han hade förlorat henne och allt, långt innan hon var död, och själva förlusten tycktes honom blott i första ögonblicket verklig, i det nästa såg han också den långt bortifrån, genom en dimma...

——— Martin hade slutit ögonen, och då han öppnade dem på nytt, såg han själv allt som genom en dimma, parketten och de vita maskerna därnere och henne, som han älskade. Och hon tog hans hand och smekte den sakta mellan sina båda varma händer och viskade till honom:

— Säg, vad tänker du på?

VI

Vinternatten sov omkring dem. Det snöade icke längre, i en vit måndimma gingo de hemåt genom snödrivorna, in genom hennes port och uppför trapporna. Det ljusnade mer och mer ju högre de stego. De stannade vid ett trappfönster, mitt i månfloden, och sågo ut. Det mesta av dimman var nedanför dem nu, den låg svept kring gårdarna och tomterna därnere, men i de övre luftlagren var det nästan klart, blåaktigt och ljust som en augustinatt. Det stod en vid ljusring kring månen, och i det bleka ljuset låg världen som infrusen och förstenad, ur dimhavet därnere reste sig en ensam gavelmur utan ett fönster, den sög åt sig månens kalla blick och stirrade blint och tomt tillbaka. Det gick en frossbrytning genom dem båda, de tryckte sig hårt intill varandra med ögonen slutna, och allt blev borta för dem i en kyss. Det blev en lång och underlig kyss. Han kände hela sin varelse lösas upp, och han hörde klockringning i öronen avlägset som från en liten landskyrka långt borta, mellan hagar och sädesfält. Det blev som en söndagsmorgon, han såg en krattad sandplan, pioner lyste rött från rabatterna, vita och gula fjärilar fladdrade kring buskarna och gräsen, och han hörde suset av stora träd. Han gick med henne mellan träden, men genom kronornas sus gick det redan ett vinddrag av höst, de gula fjärilarna voro gula blad, och några voro redan svarta av frosten. Vinden förde med sig avbrutna tongångar och ord, än liknade det torra vardagsord och än förstulna viskningar om något som måste hållas hemligt, och med allt detta blandade det sig som ett eko av skådespelarens sällsamma tonfall nyss, då han sade: jag älskade Ofelia! Men han släppte icke hennes mun, allt djupare sjönko de in i varandra, han tyckte sig på resa genom rymderna, i den vita måndimman brann en röd stjärna, först matt och slocknande; sedan starkare och allt mera nära, den växte och vidgade sig till en flammande brunn av eld, och han sög sig fast vid den med sina läppar. Och han tyckte sig förbrinna utan smärta, lågorna svalkade hans tunga som ett syrligt vin; och allt, mättnad och hunger, törst och svalka, solens hälsa och mörkrets ångest, dagens klara tanke och nattens månsjuka grubbel, all jordens lust och elände tyckte han sig suga ur denna brunn.

VERS

FESTEN
(1891)

— Vad du är blek, Henri, som kalk så blek!
Din blick är släckt och ögonlocken slappa.
Har du så snart fått leda vid din lek,
gick det så lätt att festens stämning tappa?
Du är ej härdad än mot vinets svek.

Se på vår vän Bouffon. Han kan sin sak.
Han tömmer din bourgogne och länsar taffeln
och njuter av din fest med utsökt smak:
Manon på knät och en bit sill på gaffeln
— än kan han älska, stackars gamla vrak.

Men du, Henri — jag kallar dig vid namn —
du hör ej — häller vinet över brickan —
du sitter dyster som en spökblek hamn
och bryr dig satan om den galna flickan,
som sprattlar het och naken i din famn.

— Man roar sig, Henri, på ditt château.
— Henri, du ger ju grandiosa fester...
Men du är dålig värd. Låt flaskan gå,
drick, skråla, sjung som dina fulla gäster!
— Och i kaminen skall du tända på.

På persisk matta, vid kaminens glöd,
Céline vill sträcka sig och steka skinnet:
den vita barmen flammar mättat röd.
Manon är blyg, hon vill behålla linnet
och vill alltjämt ha père Bouffon till stöd.

Och natten skrider... enligt husets skick...
Det blåser ute. Fönsterglaset klirrar.
Jag står och tänker på den tid som gick.
Se dit, Henri: ur snirkelramen stirrar
din stamroué, min vän, med brusten blick.

————————————————
————————————————

Gardinen upp. Min Gud, Henri. — Fy fan!
Man blir ej vackrare i denna dager.
Bouffon är lik en gammal svullen Pan
— och vad Céline är ogudaktigt mager!
Jag svalkar mig en stund på din altan.

Allén i morgonskymning. Vissna blad.
Och detta gröngrå dagsljus, som jag hatar.
— Ditt arbetsfolk, Henri. En ledsam rad,
med sina verktyg. Stackars dumma satar.
Man bör ej se ditåt, man blir ej glad.

Mitt huvud väsnas som en rostig kvarn.
— Så maka dig, Céline, man kan ju halka
på dina vackra, smala ben, mitt skarn...
— Kom med, Henri, du kan behöva svalka!
Han sover ju. — Han sover, stackars barn.

DU LÄMNAR EJ MINA TANKAR
(1891)

Du lämnar ej mina tankar,
när skymningen faller på.
Jag ser dina ögon i mörkret,
jag hör dig komma och gå.

Jag vet ju icke, du kära,
när jag härnäst dig ser.
Vi färdas långt från varandra
och mötas visst aldrig mer.

KULTURBARN
(1892)

Tyst och tankfull går han
mellan mörka stammar,
medan över stigen
aftonglöden flammar;

följer barrströdd skogsstig
tyst och böjd och sluten
med en dämpad ångest
över pannan gjuten.

Stödd mot mossig stenhäll,
stannar han och andas.
Andas skogens blomdoft,
som med barrluft blandas;

suger in med hemsjuk,
aldrig mättad lystnad
ensamhetens sunda,
stora, stilla tystnad.

Står han stum och lyssnar
med en smärtfull skälvning
över läppens tunna,
alltför tunna välvning

till de ljud från fjärran,
som i ekon svaga
från den stora staden
över nejden draga.

Sammansjunken står han.
Stirrar trött och härjad
in i slocknad väster,
nyss av solglöd färgad.

När han sen i skymning
stigen hemåt famlar,
sina grubblerier
han till tanke samlar:

"Din, natur, är kraften.
Stor din makt skall nämnas:
stor din makt att hela,
större dock att hämnas."

NÄR DU RODNAR
(1892)

När du rodnar,
glömmer jag allt.

Du sitter blek,
där ljuset faller skarpast
— blek och stilla —
och talar lugnt om alla världens ting.
Jag sitter i skuggan.
Och när jag finner ett ord,
som jagar blodet upp på dina kinder
och färgar dem röda
— röda —
så glömmer jag att tiden rinner,
att arbetslampan väntar mig därhemma,
att vad vi tala om tillsammans
är tomt och ingenting
och att du älskar en annan.

Jag glömmer alltför mycket,
när du rodnar.

EN GÅNG ÄLSKAR MAN
(1892)

En gång älskar man
kanske.
En gång dör man.

En gång längtar man:
det är när man är ung
och står i solen.
Man vill ej veta av att man är lycklig
och tror det icke.
Man talar kanske helst om vissna blad,
om natt och höst och vindens suck i träden
och böjda vandrare på öde vägar
— man lever dock:
man längtar.
Och narrar tro,
att längtan utan hopp är sorg och plåga.

Nu är det grått och skymning
ute och inne.
Nu är det alltid skymning.
Och jag, som ännu räknar unga år,
jag sitter tom och trött och längtar
efter min gamla längtan,
min första ungdoms längtan.

LÅNGFREDAG
(1892)

Det sitter en hund och tjuter
vid Jakobs kyrkas portal.
Han blandar sitt tjut med toner
av sorglig passionskoral.

Det snöar vått och det regnar,
och blåsten håller jakt.
En ensam droska skraltar
framåt i koralens takt.

Den stilla passionspsalmkvidan,
den klagar i sorg och ve,
den tränger ur packad kyrka,
den tränger till tomt kafé.

Och det är så sorgligt och ledsamt,
och ingen törs vara glad,
och kärringar sitta i kyrkan
och gråta och sucka i rad.

De gråta visst över någon
med mager och sargad tors
— en, som är blek och blodig
och hänger på ett kors.

VÄRLDSSTYRELSEN
(1892)

Vårherre han larvar trist omkring,
han larvar omkring.
Han går visst och tänker på ingenting,
på just precis ingenting,
den stackars gamle Vårherre.
Men fanen, han tänker på någonting!

VINTERSYN
(1894)

Nu somnar den sista resten
av dagens blekgrå ljus
och mörkret smyger förstulet
kring låga, vacklande hus.

Och flingorna falla, falla...
De glimma vid lyktans sken
och slockna sedan likt stjärnskott
i modden på gatans sten.

Med mattare takt slår pulsen
av gatans sorlande larm;
och tystare klappar hjärtat
i storstadens jättebarm.

Det är som om fallande flingor
på livet lagt sordin
och gjort dess tunga andning
mer kyligt spröd och fin;

som om den vita drivan,
ett dunmjukt täcke lik,
vart skorrande missljud dämpat
till sövande musik.

— En ensam man i mörkret
går gatan fram som i dröm.
Av hunger och köld och trötthet
är slappad hans tankes töm.

Då faller från en ruta,
vars glas av imma täcks,
på drivan för hans fötter
en mattröd ljusreflex.

Han stannar. Hur varmt därinne...
En brasa, som flammar och gnyr;
och i en blommig karmstol
en liten ljuslockig fyr.

Han ringer med benen och lutar
sitt huvud över en bok;
han läser väl någon läxa,
men läser visst rent på tok.

Ty det blonda huvudet sjunker
allt längre mot karmen ned
han glider in helt stilla
i barnadrömmens fred.

Den ensamme mannen reder
sitt minnes snärjda garn.
Han söker och han finner...
— Han bott där själv som barn.

En gång för länge sedan,
med lika sorglöst sinn'
vid samma eldstads glitter
som barn han slumrat in...

Han skakas av en snyftning
från hjässan till domnade knän.
Så vacklar han gatan framåt
— vet knappast själv varthän —

allt medan sista resten
dör bort av dagens ljus,
och mörkret smyger förstulet
kring låga, vacklande hus.

DAGBOKSBLAD
(1894)

Fönstret klirrar, vinden stretar,
ängsligt fläktar min gardin.
Men jag sitter tyst och letar
i min moders minnesskrin.

Än står under nyckelhålet
hennes flicknamn tydligt bränt,
medan åren grymt ha härjat
lockets snirkelornament.

Färg och form de nästan mistat,
slingorna av blom och strå,
mellan vilka än står ristat:
Tiden flyger, åren gå.

Inga brev och inga dikter
gömmas i min moders skrin.
Brev och dikter har min moder
offrat framför sin kamin.

Men i lager över lager
ligga gulnade kuvert.
Vart och ett bär dag och datum.
Vart och ett ett minne bär.

När jag vecklar upp dem, falla
blommor i en brokig rad,
och de äga minnen alla —
det är moders dagboksblad.

Röda blad för lyckodagar,
sommarrosors röda blad!
Gula blad för höstens dagar.
Vita blad och gröna blad.

Om en from och vänlig tanke
viskar ännu lika vekt
en campanula, vars blåa
klocka år och ålder blekt.

Doft av heta junidrömmar
sover ännu lika tung
i ett knippe av jasminer,
virade med strån av ljung.

Linblom... Tankspritt gnolad visa
under dagens små bestyr.
Orkidé... En farlig blomma,
blek och yppig, kall och yr.

Sist en svart pensée. Hur skilda
färger kantade din stig.
Majblom, höstblom, vinterblommor...
Moder, du var rik mot mig!

Jag har inga blad att gömma,
inga röda, inga blå.
Allt vad mitt är kan jag glömma,
det är halm och visset strå.

Vårar spira, somrar blomma
— tiden flyger, åren gå —
det blir höst, och lika tomma
ser jag mina tegar stå.

Mina grannar gå att skörda
fältens örter, alla slags.
Men jag gömmer i min dagbok
ett av frosten svärtat ax.

Natten lider. Fönstret klirrar.
Tornets ur slår ett och tu.
Och jag går i skräck till spegeln
... men jag är dock ung ännu!

Ung ännu... Men dygnen köra
samma landsväg, ständigt grå,
och det ringer i mitt öra:
Tiden flyger, åren gå.

IDYLL
(1894)

När stormen sliter bladen
från avenyens träd
och tungt den stora staden
hörs hamra på sitt städ —
hur lyckligt, min väninna,
att se, stödd vid din arm,
din blick ur dunklet brinna
som fordom djup och varm.

Så låt mig lönnligt trycka,
min älskade, din hand.
Ur deras krets, vars lycka
ren oron satt i brand,
som lida och som hata,
vi skynda glatt att nå
den undangömda gata,
som fristad skänkt oss två.

Men nu, då sorlet stiger
och högre stund för stund
den gula månen stiger
på mattblå himmelsgrund,
vill tätt och lyckligt sluten
intill din barm jag tro
mig sänkt i en förfluten
och halvglömd sommarro.

Se mellan bergen leder
vår väg bland björk och al,
tills leende sig breder
den sommargröna dal,
där dagen om och natten
i almars djupa fred
ett blått och stilla vatten
i tystnad gled och gled.

Där flodens bölja ilar
i sälgens guldstoftregn,
två silvergröna pilar
vår längtan gåvo hägn.
Till undrens land den reste
långt från den gröna vrå,
där drömmande vi läste
en kväll Manon Lescaut.

Vi läste och vi logo
i sommarkvällens ro,
tills alla tvivel drogo
ur våra drömmars bo.
Och när av slån och kummer
strök mättad kvällens vind,
du lutade i slummer
emot min arm din kind.

*

Hur lyckligt, min väninna,
när himlen hänger grå
och höstens dagar rinna,
den trygga hamn att nå,
där jag i drömmar sluten
intill din barm kan tro
mig sänkt i en förfluten
och halvglömd sommarro.

SYLVESTERKLAGAN
(1891-95)

I

SKRIVARÄNGELN:

Böjd sitter Tiden, den alltför gamla
över sin sländas nötta guld,
än ej trött att på hjässan samla
mera av år och mer av skuld.
Spolen hon lindar och åter lindar,
spånaden rinner i rymden ut;
träget hon tråden vindar, vindar,
minns ingen början, ser intet slut.

KÖR FRÅN JORDEN, LÅNGT BORTA:

Vår dag är mörk, vår dag är kort
och våra timmar rinna
som sand ur våra händer bort,
som lustig rök försvinna.
Vi gå i sorg och syndfullhet,
vi gå i kval och kvidan.
På nya tiders lycksamhet
vi gå i dårars bidan.

II

SKRIVARÄNGELN:

Tiden är lik sig. Världsteaterns
repertoar är lika slapp.
Kättarns och dominikanerpaterns
röster skrika som förr i kapp.
Fet blir fetare, mager magrar.
Falskare ton får älskarns sång.
Tomma hjärnor smyckas av lagrar.
Tråkig pjäs, och mycket för lång!

KÖR FRÅN JORDEN:

Du gamla år, du grymma år,
vi fröjdades och trodde,
att läkedom för våra sår
på dina tegar grodde.
Vi bidade, när du gick in,
du skulle härligt stånda;
vi bidde ljusning i vårt sinn',
förlossning i vår vånda.

III

SKRIVARÄNGELN:

Seklet är gammalt, seklet vill sova,
trött av i fåvitsko spillda år;
gitter ej längre bättring lova,
äger för ångern knappt en tår.
Längtar att höra locket spikas
över sin sista lägerstad
under de fattigas och de rikas
lika tråkiga jeremiad.

KÖR FRÅN JORDEN:

Vår ofärd är vår vandel värd,
vi hava brutit svårligt;
vi hava fört en gudlös färd,
vi levat tomt och dårligt.
I klar och stilla nyårsnatt
vi vända nu tillbaka.
Vi taga bot och bättring fatt
uti vår nyårsvaka.

IV

SKRIVARÄNGELN:

Tid, du gamla, mot huvudgärden
luta ditt huvud tryggt och sov!
Ser du, det mörknar över världen,
rymden är lik en svart alkov.
Vilsna människobarnen irra
var på sin slingrande, skumma stig,
tröttna ej att mot himlen stirra,
sökande ständigt, Herre, dig!

KÖR FRÅN JORDEN, NÄRMARE:

O Fader, Son och Helge And'
och heliga Guds moder,
räck oss en fast och väldig hand
igenom mörkrets floder.
Tänd på vår väg ett kostligt bloss
att skingra vrånghets villa,
när lögnens ris vill snärja oss
och satan vill oss illa.

V

SKRIVARÄNGELN:

Tidigt stäckt blir drömmarens trånad,
hastigt lamad den dristiges hand,
vilken i Tidens jämngrå spånad
söker slå in en purprad rand.
Evige, se dina trogna vackla,
taga på trälarnas gudar fatt.
Tänder du dem en mäktig fackla,
Herre, i månvit sylvesternatt?

KÖR FRÅN JORDEN, STARKT OCH NÄRA:

Du nya år, du unga år,
allt jordens ve vi glömma,
då vid det gamlas höljda bår
vi se dig sorglös drömma.
Du lovar vad vår längtan ber.
Då våra sinnen fara
i mörkret vill, du stilla ler
med ögon skuldlöst klara.

VI

SKRIVARÄNGELN:

Dold är den, som världarna prisa,
fåfängt vi tigga att kyssa hans fot.
Det är en alltför gammal visa:
himlarnas herre tar ej emot.
Se dina tjänare gå som förryckta:
Mikaels klinga täres av rost,
Lucifer somnar från sin lykta,
Tanatos ensam gör skäl för sin kost!

KÖR FRÅN JORDEN, LÅNGT BORTA:

Vår dag är mörk, vår dag är kort
och våra timmar rinna
som sand ur våra händer bort
och som en rök försvinna.
Vi gå i sorg och syndfullhet,
vi gå i kval och kvidan.
På nya tiders lycksamhet
vi gå i dårars bidan.

GENERATIONER
(1895)

En länk av solguld dagens slut
vid nattens gryning kopplar,
och purprade en röd minut
stå parkens silverpopplar.
Men dämpat risslar vattnets lek
i bronsfontänens flöden.
I borgen ligger kungen blek
och kungen väntar döden.

I sovgemaket är det skumt.
Man viskar och man mumlar.
En präst, vars ave nyss blev stumt,
med korsets tecken fumlar.
Där kungen vilar, allt är vitt:
hans hår, hans hy, hans lin.
Han viskar trött: Gån var till sitt.
För hit min son, prins Spleen!

Och prinsen kommer blek. Hans hand
är kramad om gitarren.
Hans dräkt är prydd med röda band.
Hans bästa vän är narren.
Hans blick tycks halvt förstulet se
emot en väg till rymning.
Han sjunker kall och tyst på knä
i sängalkovens skymning.

"Min levnad sluttar mot sin gräns
och det blir skumt omkring mig.
På bröstet som en tyngd det känns;
där pressar någonting mig.
Jag ser med sorg, min prins, hur klent
av plikt din lusta stäcks:
på det maneret blir du sent
en Spleenus Magnus Rex.

Jag räds, mitt folk blir illa styrt,
jag räds, dess hopp blir sviket.
Ditt levnadssätt är mycket dyrt,
och det är nöd i riket.
Du är dessvärre ej, min son,
så flitig, klok och sedig
som jag, när far min föll ifrån.
Godnatt. Gud vare med dig!"

Den gamle kungens blick är släckt,
och all hans dagars kedja.
Vid bädden ligger prinsen sträckt,
som låtsade han bedja.
En frostblek dager kvällen sänt
ned över dödens rum.
I dörren, öppnad halvt på glänt,
står narren skrämd och stum.

EN OVÄDERSSÅNG
(1895)

Det stormar i natten, och fönstren slå,
och vädret är icke det bästa.
Tankarna komma och tankarna gå,
och sorgliga äro de flesta.

Kring land och kring hav gå stormens ljud.
Den gnisslar, väderhanen.
I natt gå många själar till Gud,
och flera tager väl fanen.

Du tiger, mitt barn, din hy är blek,
och du skälver vid flöjelns sving.
Jag tänker ej heller på lust och lek,
jag tänker på andra ting.

Jag ligger och tänker på domens dag
och ängslas för ovän och vän.
Vad skola vi svara, du och jag —
och Carl David, hur går det med den?

När månen den sista natten släcks
och ljus står den sista dagen,
och solen svartnar och tiden stäcks,
då får han knip i magen.

Då får han knip i den mage, som
är multnad sen länge ren,
och han kravlar sig upp och ser sig om
och samlar ihop sina ben.

Till himlens festligt belysta entrée
han bland annat gott folk sig ämnar,
och som visitkort han lämnar
en knota, märkt C. D. W.

"Min gode Sankt Per, låt upp din port,
jag slipper ju in, eller hur?
Jag hoppas du ett och annat har sport
om min aktade signatur."

Sankt Per, han räcker den knotan igen.
Med guldgalonerade bårder
står han stel och styv: "Ursäkta, min vän,
mot dig har jag tydliga order.

Det gör mig ont, ty jag höll dig kär,
när du skrev i Vårt Land — men du står
tyvärr i den svarta matrikeln här,
rubricerad som pseudo-får.

Du sjöng så fromt din fromma koral,
men tänkte: Det vore allt maffe
med en liten hausse på tro och moral
och en på brännvin och kaffe."

Då bleknar den riddarn och sjunker på knä
och suckar med gråten i strupen:
"Ack käre Sankt Per, jag har varit ett fä,
och min nådatid är förlupen.

Men lille Sankt Per, du är säkert van
att hjälpa upp dem som falla,
och i Lidners Yttersta dom bli alla
ju saliga, utom fan."

Sankt Petter kväver ett elakt skratt
och skruvar hövligt sin ring
och pratar en stund om ditt och datt,
men mest om sorgliga ting:

Att Heidenstam rakt in till Gud har åkt
med ett tandem av svarta svin,
och att brännvin och kaffe stå lika lågt
i himmelen som i Berlin.

"Nu får du väl pröva ditt gamla sätt
och gå till ett dåligt ställe."
Så talade vist och med världsmannavett
den gode gamle Sankt Pelle.

Carl David var trött och slog sig helt fritt
i portvaktarlogen ned,
och Sankt Per var gemytlig och nickade blitt,
så glorian for på sned.

Till slut gör Carl David med gråt och skrik
den helige Petter nervös.
Han morrar argt: "Skriv en kvick supplik,
så kanske han slår sig lös

och ger dig sin nåd — herr Renan han den gav
för en snillrik och fiffig skrift."
— Carl David smög bort med en känsla av
att han var utsatt för drift.

*

Men nere i rymdens källaresal,
där Skam och hans mor, det skrället,
leva muntert med syndare utan tal,
där ligger det dåliga stället.

Där får jag väl också husrum och mat
för allt mitt bråk och besvär.
Till Renanska supplikvägen är jag för lat
och blir alltså kvar där jag är.

Alltnog, jag har väl vid denna tid
hos fan en rådstaburett.
Jag gläntar i porten och hör ett "Guds frid!"
— "Herr doktor — nej, ser jag rätt?

Ack, kära herr doktor, vänd om, jag besvär;
här finner ni ingen trevnad,
ty Strindberg och jag ä' ministrar här
och skulle förbittra er levnad.

Här står edra chanser tämligen knalt,
edra psalmer mötas med grin,
och brännvin och kaffe stå lika skralt
i helvete som i Berlin."

*

Förtvivlad vänder han åter till
den korsväg han nyss tog av vid.
Nu går han i natt och mörker vill,
den ruskige gamle Carl David!

Han går och gråter och vet inte hur
han blev dömd att gå där och rota,
ensam med sin knota
och sin aktade signatur.

SÅNG PÅ VATTNET
(1895)

Ingen sol våra kinder bränner,
kvällen är sval och doftar jasmin.
Båten är fylld av leende vänner,
fylld av blommor, lutor och vin.
Sjungen, jungfrur! Ynglingar, låten
lutornas strängar klinga sprött,
medan sakta den vita båten
vaggar oss bort från dag som dött.
> Lyckans rosor
> brinna röda,
> våra sorger
> ligga döda.
Ljust vi le mot varandra, vänner,
le bland rosor och sång och vin.

Genom det gröna strandstaketet
slingra häckarnas blad och blom.
Om du kan nå en jasmin från sätet,
bryt den åt mig, min hatt är tom.
Runt omkring oss den bleka natten
drömmer och tiger. Tyst vi gå
fram över skumma gröna vatten.
Himlen är djup och tom och blå.
> Och vi tiga
> och vi lyssna.
> Våra lutors
> strängar tystna.
Kring oss drömmer den bleka natten,
himlen är djup och tom och blå.

Varför tiga vi? Stum du sitter,
yngsta mö i vårt unga lag.
Men jag söker ditt ögas glitter.
Skänker du mig din ros i dag?
Sällsam ros! Och så mörkröd sedan.
O, den är röd som ditt röda skratt.
Vore den icke vissen redan,
skulle jag röva den ur din hatt.
          Tomt och sällsamt
          klinga skratten,
          men omkring oss
          tiger natten.
— Vore den icke vissen redan,
skulle jag röva den ur din hatt — —

Varför slappas vår yras vingar,
varför tiga vi timmen lång?
Hon den yngsta, vars stämma klingar
högt över våra i skratt och sång —
se hon är blek som den bleka natten:
"Rosornas tid är alltför kort."
Och hon sliter sin ros ur hatten,
kramar den sönder och kastar den bort.
          Glädjens rosor
          lyste röda.
          Våra löjen
          äro döda.
Låt oss le mot varann i natten,
le bland rosor och vin och sång — —

VID DAMMEN
(1896)

Jag vet, att i min själs förvar
en främling bor, en obedd gäst,
som ständigt till det rum mig drar,
jag i mitt hjärta fruktar mest.

Djupt in i parken stigen bär
bland spöklikt stora almar fram.
I fuktig skymning sover där
en mörk och grön och slemmig damm.
Jag räds att se i den min bild,
men timmen lång jag ser och ser.
Den synes mig så sällsamt skild
från den min spegel återger.

Jag ryser över djupets lek:
mig tycks, den bild jag möter där,
förhäxad, stelnad, mossgrönt blek,
är mera jag än själv jag är.

Mig tycks, att jag ett skenliv mött,
mer verkligt än mitt eget liv,
ett bud från vad i mig har dött
bland dygnets låga tidsfördriv.
Mig tycks, att här är dödens damm,
och att sen tio vintrar väl
är fången här bland grus och slam
min egen döda, kalla själ.

TROLLSPEGELN
(1896)

Sagodiktarena skriva:
Djävulen, som ville driva
med Vårherres verk och under,
rörde om uti sin degel,
gjorde en förtrollad spegel,
i vars mörka blanka skiva
hela världen var att se:
skogar, sjöar, berg och lunder,
städer utav sten och tegel,
hamnar vimlande av segel,
brända och förödda länder,
mänskor, som på vägen vandra,
mänskor, som i stadens gränder
trängas trampande varandra,
hela världens lust och ve
kunde man i spegeln se.
Djävulen, som en gång vigt sig
till en paradoxens präst,
gjorde som han kunde bäst:
allt var likt och dock ej likt sig,
allt var sant och dock ej sant,
rakt var rakt och krokigt krokigt,
likväl blev det hela tokigt,
rakt och krökt blev likadant!
Gott och ont och stort och litet,
fult och vackert, nytt och slitet,
svart och vitt, allt flöt tillsamman,
helvetet till mycken gamman,
djävulen var ganska nöjd,
och han log så att han vred sig
samt beslöt att dela med sig
åt Vårherre av sin fröjd,
drog så upp mot himlens höjd.

Men Vårherre tog humör.
Spegeln, som tyvärr var skör,
slog han sönder.
                    Det var nog,
sade djävulen och log.

Ack, han visste ej, Vårherre,
att han blott gjort saken värre.
Djävulen var än ej färdig
med sitt skämt, han hade kvar
en idé, som mästarn värdig
i finess och kvickhet var.
Se, han spände ut sin kind,
blåste upp sig stor och stinn,
blåste skärvorna kring jorden,
ned i söder, uppåt norden,
alltsen dess i millioner
flyga de kring alla zoner,
och varthelst de styra färden,
där går pestvind över världen,
pestvind, dödvind, farlig vind.
Får du i ditt ena öga
blott en enda sådan skärva,
ser du världen i en annan
dager än du gjorde förr;
mycket ser du, fattar föga,
världen blir en trasslig härva
utan början, utan ände,
ja, det blir ett stort elände,
ingenting är ju som förr!
Var ej rädd, du dör ej av det,
ty man vänjer sig vid allt.
Snart nog börjar skärvan vandra
från ditt öga ner till andra
delar av din kropp: ditt hjärta.
Då blir hjärtat mycket kallt.

Slutligen och utan smärta,
nästan förr än du vet av det,
har ditt hjärta innan kort
helt och hållet frusit bort,
var ej rädd, du dör ej av det!

Herregud, nog kan man leva...
Man kan vara blind och treva
genom mörkret utan klagan
och med tåligt barnasinne
kyssa riset under agan;
med en enda trasig lunga
kan man vara glad och sjunga,
och det går ej ur mitt minne,
hur i dag bland hamnens hesa,
hungriga och frusna busar
jag har sett en man som snusar
med en fragmentarisk näsa.
Herregud, de allra flesta
bland oss äro ju defekta
mer och mindre, och de bästa
röster bliva lättast spräckta.
Giv du sorgen skjuts att åka,
du har ingen rätt att bråka
över ett förfruset hjärta!
Alla kunna ej ha hjärta,
några måste vara utan,
räta upp dig, knäpp på lutan,
lev som förr och lindra smärtan
med att krama andras hjärtan!

IBSEN
(Den 20 mars 1903)

Vårt tack är ringa. Det är bara barnen
som tacka stjärnorna för att de glimma
så högt och klart i vinternattens timma.
För egen andes krav i tankekvarnen

du malde bröd, och för den egna härdens
eldhunger stod du mörk och tyst och brände
din själ till eld, som slog mot skyn. Du tände
ljus åt dig själv. Sen blev det vårt, och världen

På nytt blir vår, ren sprängas isens bommar,
och när i skymningsljusa kvällar blommar
på nytt vid stranden videts gula hänge,

vi gläds att se, hur än i blått, som fryser,
din stjärna som i forna vårar lyser —
en stjärna, som har flammat starkt och länge.

DEN OKÄNDA
(1904)

Nu är det länge sedan
du för min tanke stod,
och länge sedan din åsyn
göt yrsel i mitt blod.

Gud vet vad fjärran vägar
du genom världen går.
Min längtan är trött att jaga
som förr i dina spår.

Min längtan flämtar i pipan,
snart somnar den av i fred.
Vi ses väl en gång, när min längtan
har slocknat och brunnit ned.

RIMBREV

till doktor Bjerre från doktor Glas.
(1906)

Jag är rädd att när Vårherre
skapade herr doktor Bjerre
var han inte vid humör
— det rår inte Bjerre för!
Han är läkare för galna,
därför älskar han var tok
men begynner märkbart svalna
om han träffar på en klok.
Nu vill doktorn i sitt nit
också göra mig till galen
— kanske är det något i't!
Ack, i denna jämmerdalen
vet man aldrig hur det går:
Bjerre spår, Vårherre rår.

Men om det till sist går till
så som doktor Bjerre vill
och jag verkligen blir galen
utav Bjerrepekoralen
— om en gång min allra sista
tunna, spröda tanketråd
hotar med att vilja brista
och jag nödgas söka råd
hos en klokare kollega,
hoppas jag dock ännu äga
nog förstånd att kunna säga
till mig själv: min stackars vän,
du skall inte gå till Bjerre,
du skall akta dig för den!
Om en tosing går till Bjerre,
blir han genast värre!

MÄNNISKORNA
(1906)

Jag sitter och ser på dem genom ett glas,
som jag tagit i arv från min moder.
De springa omkring vid dagsljus och gas
att skaffa sig spilta och foder.

Där är lama och lytta och döva med lur
och blinda, som stappla och treva,
och pucklar, som göra de sköna sin kur.
Så dö de. Hur kunna de leva?

TRÄDET PÅ GRAVEN
(Februari 1915)

Det växer på en grav
ett litet träd med blom och tagg,
och vad den döde en gång gav,
det gömmer minnet,
det vattnar morgonens och kvällens dagg.

Till graven kom en ung docent
— han hade säkert intet ont i sinnet —
och vad den döde sagt på pränt
och vad han skvallervägen hört som känt
(men inte därför hänt) han bar i minnet.
Det var hans yrke, själv poetiskt impotent,
att böka om i diktens blomstersängar,
och på dess gröna ängar
hans gång var lekfull liksom kalvens dans,
och stora som en kossas ögon sågo
hans ögon emot land som lågo
för skumt och fjärran för en blick som hans.

Han såg på trädet med dess tagg och blom
och tänkte först: här måste hållas dom!
Men tänkte sedan: nej, den döde
var ändå alltför stor i diktens värld,
och jag är kanske än för litet lärd
att hålla dom och räfst med skaldens öde...
Men hur docenten står och ser och ser
på trädet med dess rikedom
av gömda taggar under blad och blom,
och hur han tänker mer och mer

på skaldens verk, och hur han vänder orden
om mörkret över vägarna på jorden
och om hur lätt det är att fara vill;
och hur docenten lägger ut (och till)
hans fantasi går in ett litet paktum
med skvaller, gissningar och vad ni vill
— och resultatet blir: ett *biografiskt faktum.*

Han synar prat och diktning härs och tvärs
och hör så säkert under allting tona
ett minne av ett brott,
men ger som straff åt skalden blott
— ty han är ädelmodig — att försona
allt vad han gjort och inte gjort — med vers...
Och han gör synden stor
och röd av våld och fet av hor,
men blott för glädjen att få stort förlåta,
så att små änglar däråt månde gråta.

Ty änglar gråta stjärnor till att lysa
oss mänskor, när vi frysa
och det är mörkt på vägarna och haven.
Och därför som en mild försoningspräst
och med en hög serafisk gest
åt stjärnorna docenten Böök
bak busken dök
och gjorde något fult på skaldegraven.

*

Den trösten finns: det vore nog en villa
att tro att mannen mente något illa.
"Det borde varit stjärnor", men det blev
— det som docenten skrev.

KRIGSSÅNG
I kinesisk stil.
(Maj 1915)

Molnen skymma solen.
Regnet strilar kallt.
Det har blivit höstligt
    överallt.
Man säger oss att det är vår.
Jag tror det ej. I år
    blir ingen vår.

Kejsaren är ljus som solen,
men hans panna höljs av moln.
Har, kamrat, du än en smula
    ris i skåln?
Jag har ej ett riskorn, broder.
Regnet strilar kallt.
O hur höstligt överallt.
Drakjunkarn tror sig minnas
en som gick i krig en gång
    utan tvång.
Sådan narr kan inte finnas.

Man bort oss sände
då ängen stod i blom.
Då hem vi vände,
var åkern tom.
Långa vägar ha vi tågat,
svält och törst oss plågat
    mången gång.
Ett stort elände
oss stackars satar hände,
då mandarinen drev oss ut i krig med
                        tvång.

MITT ÅR
(1907–13)

I

SOMMAREN

Sommarn är nyår för mig, ty jag kom till världen
en sommar;
vart års sommar på nytt ger mig min ungdom igen.
Evighet susar i trädens böljande kronor, och evigt
längtar till sommarens frid året igenom min själ.
Aldrig jag glömmer den sommar, då först det
jäsande blodet
lärde mig älskogens makt, lärde mig att jag var
man:
man och människa ville sen dess jag vara, och
dikten,
livets sköna sirat, öva som lekverk blott.
Men det tycks som det stått en förbannelsens fe
vid min dopskål:
det som jag kan är mig tomt — *vill* bara det
jag ej kan;
det som jag har är mig intet och allt är mig det
som jag miste;
främling jag går i det liv, ödet gestaltat åt mig.
Dock, när sommaren susar i skogen, i gyllene
rågen
eller i strändernas vass, glömmer jag allt och tror
ännu på livets ljuvhet och must och på älskogens
allmakt,
drömmer att livet har än gåvor för mig på sitt
bord,
drömmer och tänker tankar och skriver dem ned
på ett papper
— skrev jag något som dög, skrevs det i somma-
rens tid.

II

HÖSTEN

Mustens och maktens och mognadens höst — dig
                                   når jag väl aldrig,
sakta mig viskar en röst. Ödesbestämt är vårt liv.
Gyllne och blå september, då jorden i klarhet och
                                   styrka
föder sin ljuvaste frukt — o, att jag väl vore där!
Men jag är rädd att redan med förbundna ögon jag
                                   irrat
min september förbi — står i oktober nu,
står i den alltför tidiga skymningens töckniga
                                   månad,
stridens och stormarnas höst, smutsens och slag-
                                   regnens höst.
Molnens fuktiga flockar jaga som nattsvarta fåglar,
nattliga fåglar ha ock tagit sitt hemvist hos mig,
byggt sina bon i min själ och hacka muntert mitt
                                   hjärta,
gnaga mitt livsträds rot, flaxa så svart för min syn.
Vad skall man göra åt det? Det finns intet i värl-
                                   den som hjälper,
om ej vintern och snön. — Ödesbestämt är vårt
                                   liv.

III

VINTERN

Med mina barn jag gläds, då snön faller vit över
taken:
kälkföre ger den åt dem, kyla och ro ger den mig.
Vinterskymning och snö äro hemligt släkt med mitt
väsen:
ljuset min tanke har kärt — natten, den äger min
själ.
Snö, du vitaste vitt, fall lätt över smuts och för-
vissning,
hungriga hjärtans begär hölj i en vitmenad grift!
Snön, som faller, ger vila och ro åt min hemli-
ga ångest,
kinden, som bränner av skam, svalkas av fallan-
de snön.
Midvinternattens stjärnor tåga högtidligt kring
fästet.
Vintern mig är som en lång dödsförberedelsens tid.
Klockorna klämta, jag tror att jag är på min egen
begravning,
prästen han säger: "Den man, här vi begråta, var
from;
väl kan det motsatta tyckas av dem, som läst i
hans skrifter,
men det var blott ironi — kristen han var i sin
själ!"
Kyparnas sångkör tar opp och sjunger i grånande
dagern
"Stilla skuggor". Och snön snöar igen min grav.

IV

VÅREN

Andra glädjas åt våren, för mig är våren förgiftad.
Var gång det lider mot vår lider mitt år mot sitt
slut.
Intet är mig så hemskt, så sjukt och förpestat som
våren:
vår det var liksom nu, den gång min själ sprang
itu.
Åter en bländande vårdag stirrar mig vaken i ögat,
sorg, som sov under snön, vaknar med våren till
liv.
Åren ge mig ej bot, och solen bränner i såren,
främmande irrar jag kring här i min barndoms
stad,
här i min mandoms och kärleks stad, i vars gator
och parker
varje sten och vart träd gömmer ett minne för mig.
Framfarna vårars minnen fräta som gift på mitt
hjärta,
minnen bli vissna blad, bladen de gömma en orm.
Fjärran och främmande blev mig min enda kärlek
i världen.
Solen vitnar mitt hår. Åren ge mig ej bot.

STOCKHOLMSKRÖNIKOR

*

FÖRSTA MAJ

Då stockholmaren vaknar på morgonen första maj, stiger han upp glad som en lärka, sätter på sig sin nya vårkostym och går ut för att njuta av livet med lätt hjärta och med så tung plånbok som omständigheterna medgiva, stundom också med ännu tyngre. Efter att ha tagit ett bad vid Stureplan för att sedan med så mycket bättre samvete kunna rulla sig i den storstadslivets smuts, på vilken Sigurd och lektor Waldenström så småningom ha lyckats göra honom nyfiken, går han ne¹ låt staden, men stannar framför ett cigarrbodsfönster och upptäcker där med glad överraskning, att den tidning som under hela det övriga året bär namnet Strix nu till dagens ära heter Stri-hix eller Strix-hix. Han bestämmer sig för att köpa detta nummer något senare på dygnet, då det har mera aktualitet, och går därefter ned på Operakällaren för att äta frukost.

Vid kaffet och cigarren erinrar han sig plötsligt att denna dag också har en djupt allvarlig betydelse och att allvaret måste gå före nöjet. Han skyndar därför utan dröjsmål att ikläda sig arbetarens slitna dräkt, köper Socialdemokratens festnummer och eldas till entusiasm vid åsynen av dess titelplansch, som föreställer en sol med inskriften "Frihet, Jämlikhet, Broderskap", besegrar modigt frestelsen att taga en droska och vandrar till fots upp till Cirkusplan, där han fäster det röda demonstrationsmärket i sitt knapphål och ställer sig i ledet under ett standar, på vilket åter lysa orden: Frihet, Jämlikhet, Broderskap. Han har knappast stått där i två minuter förrän det börjar regna, vilket släcker av hans hänförelse en smula; emellertid sätter han sig oförskräckt i marsch ut till Gärdet. Då han icke kan höra mycket av talen, lyssnar han i stället till åhörarnas ord och stundom också till deras tankar.

Demonstrant: Nu är det sjunde året, jag är ute och demonstrerar, och ännu ha vi inte fått det, som vi vill. Hur länge ska vi gå på det här viset?

En annan: Bara ett år till, sedan är det klart. Branting är ju riksdagsman nu.

Demonstrantska: Socialismen har haft mycket gott med sig. Förr i världen brukade Andersson alltid vara påstruken på första maj, men nu är det slut.

En talare (slutar sitt föredrag): ——— Leve frihet, jämlikhet och broderskap!

Alla: Bravo, hurra!

Filosof: Bravo, hurra! (Avsides): Ja, friheten är en skön sak. För den vilja vi alla kämpa med liv och bläck, men bara i yttersta nödfall med vårt blod, ty om blodet tappas av oss, ha vi föga nöje av friheten. Men jämlikhet... Det enda som håller människan uppe är som bekant hoppet att få härska över de andra... Och broderskap: skulle inte de fyra- à femhundra bröder vi i medeltal ha per man kunna vara tillräckliga tills vidare?

En annan talare (slutar sitt föredrag): ——— Leve åttatimmarsarbetsdagen!

Alla: Bravo, hurra!

H. exc. statsministern (inkognito, med lösskägg, socialisthatt, begagnade manskläder från Malmskillnadsgatan och röd halsduk): Bravo, hurra! (Avsides): Ja, folkstämningen för den här saken är verkligen i tilltagande. Vi kanske så småningom få lov att tänka på en liten kunglig proposition om tio timmars arbetsdag och med betryggande garantier för att allt blir vid det gamla...

Emellertid har stockholmaren, som dittills hade trott, att det bara var fråga om frihet, jämlikhet och broderskap, plötsligt blivit väckt som med en elektrisk stöt genom den siste talarens ord: åtta timmars arbetsdag. Han ser sig förskräckt omkring och upptäcker, att dessa ord också stå att läsa på de flesta av de röda standaren.

— Jo, här har jag råkat vackert ut, tänker han, åtta timmar! Gud bevare oss väl!

Och blek av fasa skyndar han att åter ikläda sig sin vanliga människa, fäster längtans vingar vid sina skuldror och flyger raka vägen till Hasselbacken, där han har bord vikt.

Efter en middag i det angenämast tänkbara sällskap, nämligen ett sällskap av fullkomligt likasinnade, sätter han sig i en droska tillika med sina vänner och ropar: Kör till stan! Kusken kör, men hinner icke långt förrän han hejdas av en poliskonstapel, som reser sig i hans väg, hög och mörk som en personifikation av ödet.

— Kör andra vägen, säger han.

— Andra vägen? Det finns ingen annan väg. Jag skall till stan.

— Alla vägar leda till stan. Och alla åkdon ska hädanefter köra i samma riktning, vart de än ska ta vägen. Annars blir det stockning i trafiken. Kör över Djurgårdsbrunnsbron och Ladugårdsgärde!

Kusken (vänder): Fan anamma!

Hästen (vänder samtidigt): Jag ber att få instämma!

Stockholmaren (i droskan): ———

Vår Herre (där uppe, för sig själv): Jag tror sannerligen att Stockholm vill låtsas vara storstad och inbilla sig att det har trafik. Dumma människor! London och Paris ha också trafik, och jag kan inte erinra mig att jag har sett några sådana anordningar där... Var är ängeln Gabriel? — Gabriel, flyg till min vän Jupiter Pluvius och bed honom regna duktigt på de dumma stockholmarna. Det är sant, du behöver inte göra dig besvär, vi ha ju telefon nuförtiden ... (ringer upp Jupiter Pluvius.)

195

TURISTSTRÖMMEN

Den är här, turistströmmen är här!

Jag har själv sett den.

Jag mötte den tre gånger under gårdagens lopp, och så här ser den ut:

Först kommer en liten tjock herre med mandelformade ögon, olivfärgad hy, fylliga röda läppar och sirligt krökta svarta mustascher. Han har gröna skor och en grön käpp. Då han kommer ut från Rydberg, kastar han en hastigt prövande blick först på Slottet och därefter på Operan, en skarp och klok blick, i vilken man kan läsa, att han genast ser hur mycket alltsammans är värt. Men på Arvfurstens palats, ser han aldrig.

Ett halvt steg bakom honom trippar en dam, som är honom tämligen snarlik, och som icke är nog ung och vacker för att rimligtvis kunna vara någonting annat än hans hustru. Hennes ansikte uttrycker ett livligt begär att inbilla sig själv och världen, att hon går bredvid sin man; men hon går i själva verket bakom honom.

Tio à femton steg efter detta herrskap komma två herrar i knäbyxor och rutiga strumpor. De äro båda helt unga med en åldersskillnad av tre eller fyra år. Deras gång och deras sätt att slänga med armarna säga alldeles högt: vi äro globe-trotters! De känna tydligen icke alls det första herrskapet, men det står skrivet i stjärnorna, att de alltid måste gå tio eller femton steg bakom det.

Det är turistströmmen.

Första gången jag såg den var vid tiotiden i går morse, då den kom ut från Rydberg. Andra gången var vid tretiden, då den klättrade uppför trapporna till Operaterrassen. Och tredje gången var på kvällen, på utställningen, då skymningen redan började breda sig i Gamla Stockholms gränder, medan röda reflexer från väster ännu flammade med brandsken över kopparhuven på Tre kronor.

Jag satt just innanför det grönmålade staketet till *Sancta Giertrudz Gille-Stuvga* och önskade att jag hade varit Gustaf Vasa. Jag skulle i så fall ha låtit reglera Staden mellan broarna och dra fram ett par tre huvudgator av aderton meters bredd. Då skulle nu ingen omreglering behövas. Gatorna skulle då vara fullt trafikabla till yttersta dagen och ännu längre, och på samma gång skulle de vid det här laget vara ur estetisk synpunkt oangripliga, vittna om fädrens id och så vidare.

Medan jag satt försänkt i sådana tankar, kom turistströmmen ut ur slottsporten. Den tjocka herrn med de kloka mandelformade ögonen såg upprymd ut, och hans fylliga röda läppar krusades av ett välvilligt småöle.

— Lustiges Nest, sade han till sin hustru.

Därefter kommo de båda globe-trotters. Den äldre vände sig i undervisande ton till den yngre:

— That is very nice. And it was here — han bläddrade i sin Bædeker, men kunde inte finna det ställe han sökte — and it was here Gustavus Adolphus, the Washington of Sweden, died from his Poltavawounds.

DET NYASTE STOCKHOLM

Stockholm är ju i och för sig en rätt vacker stad. Men människan är ombytlig, och man tröttnar på allt. Jag hade en gång en vän, vars hustru hade en vän, och denne vän var jag. Nåväl, efter en tid tröttnade vi på denna uppställning av faktorerna och vidtogo den förändringen, att jag gifte mig med min väns hustru, och min vän blev i stället min hustrus vän. Denna historia har den stora förtjänsten, att den icke

197

är sann. I stället är den lärorik, och särskilt är den förträffligt ägnad att belysa tankegången hos den framstående artist, som har tecknat omslaget till den nyaste boken om Stockholm (av H. A. Ring och R. Haglund på H. Gebers förlag), vilken kommer att bli recenserad av någon allvarligare personlighet än jag.

Artisten har, liksom jag, tröttnat på att ständigt se Stockholms alla offentliga byggnader stå och se på varandra på samma platser dag ut och dag in. Han har då fått en idé, som icke är dålig: med en annan uppställning av samma faktorer kan man göra något, som är nytt och pikant, utan att man därför kan anklagas för bristande pietet mot våra mer och mindre historiska byggnader.

Resultatet har blivit det nätta förslag till Stockholms totala ombyggnad och förskönande, som pryder det nämnda omslaget.

Slottet ligger på detta prospekt kvar på sin gamla plats, likväl med den lilla förändringen, att norra fasaden är vänd mot söder och den södra mot norr. Strax nedanför ligger Operan, på ett sinnrikt sätt sammanbyggd med Slottet, så att Operaterrassen sträcker sig in i dess källarvåning, mitt bland de däri förvarade omätliga punschförråden. Strömmen är utfylld och Norrbro således obehövlig; på dess plats reser sig i stället Riddarholmskyrkan, och omedelbart bakom denna döljer sig Riddarhuset. Därefter sänker sig terrängen brant ned mot det forna Brunkeberg, som nu är förvandlat till en leende dal; och på sluttningen ligga följande byggnader och monument amfiteatraliskt ordnade: Riksarkivet, Johannes kyrka, Molins fontän, Sjökrigsskolan, Börsen och Mosaiska synagogan. Längst nere på dalsänkningens botten finner man Nordiska museet, Konstakademien och Adolf Fredrik. Därefter stiger terrängen ånyo, så att man från Gustaf Vasas staty kan med Katarinahissen praktisera sig upp till P. A. Norstedt & Söner.

Öster om Slottet reser sig Nationalmuseum på en

imponerande höjd mitt i den utfyllda Strömmen. Den forna Helgeandsholmen är befriad från Riksdagshusets och Bankens tyngande stenmassor; i stället återfinner man där med glädje Katarinas luftiga kupol.

Södra bergen, som i så många år ha verkat hämmande på jättestadens myllrande trafik, äro bortsprängda till sista stenen och ersatta med idel släta, storslagna avenyer av två till tre kilometers bredd.

Arbetet på dessa förändringars genomförande lär taga sin början i morgon klockan två, då fyra av de starkaste karlarna i Svea livgarde äro utkommenderade för att vrida K. Slottet rätt.

TUPPY I KONSTHALLEN

Alla andra gå ogenerat omkring i konsthallen med hattarna på, jag ensam blottar andaktsfullt mitt huvud.

Jag gör det emedan jag vet hur svårt det är att måla tavlor. Jag har själv försökt det, och ej utan framgång. Jag målade nämligen en gång ett starkt realistiskt porträtt av min svärmor. Och var gång det numera uppstår en liten meningsskiljaktighet mellan oss, antyder jag min avsikt att exponera detta porträtt i Fritzes fönster med påskriften: "Min svärmor. Pris 5 kronor." Jag vågar just icke påstå, att det bidrar att lugna henne, men jag har roligt av det i alla fall.

Den första tavla, som tvingar mig att stanna, är den amerikanske mästaren Sargents nobla och distingerade porträtt av majorskan Colliander. I katalogen står denna tavla visserligen endast betecknad som "Damporträtt"; men jag, som alltid hör till de invigda, har av en händelse lyckats få veta vem den föreställer. Samtidigt med mig stannade nämligen två damer med provinsiellt uttal framför denna bild och sade till varandra:

— Nej, se där ha vi majorskan Colliander!

Varefter de omedelbart överflyttade sin uppmärksamhet på mr Swans intressanta djurstycke "Jaguarer drickande brorskål", som hänger strax bredvid.

Jag lyckönskade i tysthet herr major Colliander till innehavandet av en så behaglig fru och fortsatte min rond, tills jag stötte på "Lucifers fall" av den bekante arbetarledaren sir John Burns, som också sysselsätter sig med målning, mest över religiösa ämnen. "Lucifers fall" är beställd av en landsförsamling i Småland för att uppsättas som altartavla i församlingens kyrka. Måhända kommer huvudfigurens avsaknad av horn och svans att uppväcka någon oro bland allmogen, som sedan gammalt med kärlek hänger sig fast vid fädrens tro. I alla händelser kommer denna beklagliga glömska hos konstnären med säkerhet att föranleda en avprutning på priset.

Men jag har bråttom, jag har kommit för att taga en första överblick över det hela och har icke tid att uppehålla mig vid enskildheter. Jag har unter uns gesagt, icke kommit för att se utan för att kunna säga att jag har sett. Men sprid inte ut det... Ah, här är jag ju mitt inne bland norrmännen.

Vad föreställer denna stora tavla, full av skottkärror, sluskar och gröna träd? Låt oss se efter i katalogen. N:r 777. Kristian Skredsvig: "Hemsk läsarpräst, görande de friska sjuka." — Mästerligt! Jag flyr och rusar nästan rakt i armarna på en söt flicka vid namn "Voluptas" av K. J. Holter. Privat ägare, står det tyvärr i katalogen.

Men var är Sverige? Jag irrar husvill omkring i denna labyrint av salar, tills jag slutligen träffar ett bekant ansikte på en vägg. Nå nu är man ju hemma hos sig, här är ju Cederströms porträtt av Verner von Heidenstam vid Fredrikshald. Inte olikt, hållningen i synnerhet är väl träffad. Hakan kunde vara en smula spetsigare... Och där är Nordströms underbart stämningsfulla bild — vad är det den heter nu igen? — "En vårafton vid dito." Jaha!

Och där är Josephsons "David och Saul"; jag har sett den förr, den är från hans elevtid vill jag minnas, men den gör likväl ett starkt intryck, och det beror delvis på placeringen. Saul stirrar mot höjden med en dyster glöd i blicken; och det har sina skäl. Strax över hans huvud hänger nämligen en melankolisk målning av en annan konstnär: "Sinnesrubbad droskhäst i dimma." På denna häst stirrar Saul dag och natt, och vad hjälper det då att David spelar?

Men jag måste vidare. Tid är pengar och man slösar ogärna pengar på konst här i landet... Jag går långsamt förbi professor Salomans ungdomligt djärva och originella målning "Jerusalems skomakare räckande lång näsa åt Dödens ängel", som står barfota och bönfaller om ett par skor.

Jag kommer in till danskarna, stannar där en minut framför den tavla som alltid drar mest publik till sig, nämligen "Solen i Karlstad, lysande över sjön Esrom", gör en titt in till belgarna, där jag böjer knä framför Frédérics "Blygsamheten". Jag flyger genom Finland och Ryssland, där jag i förbigående beundrar Repins präktiga tavla "Zaporogiska kosacker, skrivande skämtsamma brev till sina fordringsägare", och med ens står jag mitt i Tyskland.

Ja, här är Tyskland: på ena väggen hänger Anton von Werners kolossala historiebild "Wilhelm II hållande tal till Moltke om Wilhelm den stores fältherresnille", och snett emot finner man Max Koners med underbar snabbhet nedkastade ögonblicksbild "Wilhelm II icke hållande tal".

Vad har Frankrike att bjuda efter detta? — Jo, det är sant, det har den gamla mästaren Bouguereaus "Oäkta pärla".

KUNGEN PÅ SKANSEN

Kungen var på Skansens vårfest i går, och jag, som alltid har tur, kom just dit på samma gång. Det var vid åttatiden, då skuggan av Industrihallens minareter började förlängas och klättra högre och högre upp över bergssluttningarna.

Minareterna... Jag hade just nyss varit där uppe och sett, hur de svartaste moln skockade sig tillsammans från alla kanter. Men på Strandvägen rullade ett ekipage med plymer på kuskbocken, och då jag höll handen för ögonen och riktigt skärpte min blick, kunde jag se, att det var landets kung som satt i vagnen. Det lyste vitt gång på gång, då han lyfte på hatten. Och se, då vagnen med landets kung passerade förbi Bünsowska huset, då stannade alla de svarta molnen i sin flykt över himmelen; och då vagnen rullade över Djurgårdsbron, började de vika tillbaka. Och då kungen steg in och under tonerna av Björneborgarnas marsch började gå uppför den nya vägen till Skansen mellan raka led av dalkarlar med armborst, storhetstidens krigare i stormhuvor och harnesk och karoliner i gult och blått, då lyste solen fram och minareternas skugga föll i mörka sicksacklinjer över Skansens gröna höjder.

Jag betänkte mig icke länge, utan förflyttade mig med ett djärvt men lyckligt hopp direkt från Industrihallens krön till Skansens nya terrass; i detsamma spelade musiken upp "Ur svenska hjärtans djup", och allas huvuden blottades. Också kungen blottade sitt huvud medan han lyssnade till denna musik, som nu i tjugufem år hade ackompanjerat hans liv. Och under tiden gledo hans blickar ut över staden, vars skorstenar och spiror och torn sjönko allt djupare in i kvällens disiga rosenskimmer.

Musiken tystnade, och kungen stod ännu med blottat huvud.

— Så vackert här är, sade han sakta, liksom för sig själv. Så vackert!

Det var tyst runtomkring, tills kungen satte hatten på huvudet, och började ett muntert samtal med Delsbostintan, som kom fram och neg. Under tiden defilerade landets unga döttrar förbi i brokiga folkdräkter: några niga djupt, andra göra en liten knix som för en vanlig farbror, andra åter gå röda som pioner och titta rakt fram. Sist kommer Jödde.

— God dag, Jödde, säger kungen, vart skall du hän i kväll, du har så bråttom!

— Jo, ser kungen, svarar Jödde och nyper i mössskärmen — jo, ser kungen, jag måste hålla reda på alla mina barnungar här...

— Så-å, säger kungen, är det dina allesamman? Hm... Talrik familj du har...

Kungen skrattar, och vi skratta allesamman, utom Jödde, som åter tar ett nyp i sin mössa och följer efter sin familj.

Och kungen promenerar i sakta mak vidare uppåt Skansen ända fram till dansbanan, där han stannar för att se Lennart Torstensson, giktbruten och höljd av ära, bäras förbi på en bår mellan pikar och hjälmar och vajande fjäderbuskar.

BLAND PUBLICISTER OCH SYNDARE

Staden vimlar nu av kontinentaluppenbarelser med en pensé i emalj i knapphålet — pensén är nämligen den blomma, som journalistkongressen med älskvärd självironi har valt till sitt emblem.

Ja, journalisterna äro här. Jag var ute och festade med dem allesamman i går afton på Operaterrassen — det vill säga officiellt, ty försynen hade icke velat, att publicistklubbens välkomstfest för kongressen, som ämnat var, skulle försiggå i det fria. Den ena regnskuren avlöste den andra, och medan det höll upp kunde man då och då gå upp och hämta frisk luft på terrassen; men det väsentliga av ätandet, drickandet, rökandet och talandet försiggick i våningen inunder.

Vad nu särskilt talandet beträffar, så inleddes det på franska av en utomordentligt sympatisk herre, som att döma av Söndagsnisses porträttgalleri från journalistkongressen borde ha varit M. Georges de Taunay, och som alltså vid närmare efterseende visade sig identisk med professor Schulthess. Han sade något om "Napoléon" och "les pyramides". Sannolikt sade han i översättning ungefär så här:

Mina damer och herrar!

Napoleon var en utomordentligt stor man; men han levde som bekant i början av samma århundrade, i vars slut vi nu befinna oss. Världen går oupphörligt framåt. Följaktligen är det sannolikt, ja säkert, att vi allesammans äro vida större än Napoleon. Vad gjorde egentligen Napoleon? Han gjorde en liten tur till pyramiderna och kom någorlunda helskinnad tillbaka. Men det är ju ingenting märkvärdigt; människorna ha alltid varit roade av att resa söderut, Napoleons idé var alltså föga originell. Men vi däremot, vad ha vi gjort? Vi ha rest mot norden, och vad mera är, vi befinna oss förträffligt därav. Napoleon försökte sig visserligen också en gång på en liten tur mot norden, till Moskva nämligen, men hur gick det? Det gick som bekant alldeles åt skogen. Alltså, mina herrar: vad Napoleon förgäves sökte utföra, det ha vi i dag förverkligat. Det är ju storartat, eller hur? Leve vi! Hurra!

Man hurrade och ropade bravo och kastade sig över supén, ölet, brännvinet och sherryn. Främlingarna, som kommit hit för att pröva på landets seder, balanserade av och an med ett glas brännvin i ena handen och ett glas punsch i den andra. Gud vare deras själar nådig! Det skall verkligen bli intressant

204

att höra, vad de ha att säga på kongressens förhandlingar i dag.

Stämningen steg, och innan någon hann säga så mycket som Pettersson, började direktör Beckman tala franska. Det vill säga, han försökte; och det är mycket möjligt att han också lyckades, i all stillhet. Men han lyckades icke göra sig hörd. I stället tog sig professor Schulthess den friheten att i det allmänna bästas intresse giva uttryck åt hans tankar:

— Mina herrar, sade han, det regnar icke längre, låtom oss gå upp på terrassen och dricka kaffe! Là-haut, là-haut!

— Là-haut, là-haut! skallade det hundrastämmigt genom salen, och det blev med ens en sådan trängsel i den trappa, som leder upp till terrassen, att Jörgen fick sin gråa redingot sönderriven. Men det gjorde ingenting, ty han har fem gråa redingoter hemma i sitt klädskåp. Han tog mig avsides och utvecklade detta ämne. — Jag har fem gråa redingoter och tre svarta, sade han. Och så har jag en grön och en gul. Och så har jag en ljusgrå.

På terrassen höll riksantikvarien Hildebrand ett hälsningstal på franska. Detta tal lyckades vi genom speciella intriger förskaffa oss in extenso och det återfinnes på annat ställe i dagens nummer.

Då han hade slutat, gick det en viskning genom den grupp av landsmän, i vilken jag tillfälligtvis befann mig:

— Se, där är Clarétie! Där är Jules Clarétie!

Mycket riktigt, det var han; det var omöjligt att taga miste, att döma av porträttet i Söndagsnisse. Jag rusade genast fram till honom och berömde i entusiastiska ordalag hans senaste arbete. Han bockade sig gång på gång och visade sig mycket känslig för min uppmärksamhet. — Mitt namn är Hirsch, sade han slutligen, jag är redaktör av Djursholms tidning.

Jag kände mig nästan förnärmad över denna presentation, vände honom ryggen och kastade mig i stället över en turk i röd fez, med vilken jag inledde ett samtal om muhammedanismens framstående egenskaper. — *Vous avez raison*, sade han, *je voudrais très volontiers être mahométan; mais pour le moment je suis juif;* varefter vi lade bort titlarna.

Men natten skred längre och längre fram, och svenskarna började mer och mer tala franska. Den siste jag sade godnatt åt var Jörgen. — *Bon soir, monsieur*, sade han, *à demain*... *Je parle ce soir français à tous les suédois*, för di begriper åtminstone min franska...

KVINNAN I DET TJUGONDE ÅRHUNDRADET

Vi veta alla, att en dåre kan fråga mer än sju vise kunna svara på. Sådant händer alla dagar. Den älskvärda dåre, som nu senast har varit framme och frågat, är vår högt värderade ungerska kollega *Budapesti Napló.*

Se här en fri översättning av det originella cirkulär redaktionen av nämnda blad i dagarna har haft den artigheten att tillsända mig och en del andra framstående in- och utländska författare:

Högtärade Herre!
Redaktionen av "Budapesti Napló" ämnar i år liksom alla andra år bereda sina prenumeranter den glada överraskningen att utgiva ett extranummer i bokformat, vars innehåll är avsett att utgöras av de svar, som Europas förnämsta skriftställare behaga giva på frågan:
Hur föreställer Ni er det tjugonde århundradets kvinna?
Vi bedja Eder högaktningsfullt att på någon ledig stund för vår tidning författa en kort artikel, ej överstigande tre tryckark i liten oktav, innehållande Edert svar på ovanstående fråga.
Vi och — jag vågar tillägga det — hela det tappra och ädla ungerska folket skola med tacksamhet

mottaga Edert uttalande över en fråga, som för oss alla är av den allra största vikt. Vi hoppas ju nämligen alla att få leva ett stycke in i det tjugonde århundradet!

Mottag etc. etc.

För redaktionen av "Budapesti Napló"
D:r Szcxyzåäösz.

Vad skall man svara på sådant?

Om jag vore en av de sju vise, om vilka det ordspråk talar, som jag nyss citerade, skulle jag naturligtvis icke kunnat svara ett ord.

Men alltid kan en blind leda en annan blind och en dåre undervisa en annan dåre. Och för övrigt, hur skulle jag kunna motstå frestelsen att låta mitt ljus lysa ända där borta i det avlägsna Ungern?

Jag fattade pennan och skrev utan att betänka mig ett ögonblick. Det vågade jag nämligen icke, ty om jag tänker innan jag skriver, blir resultatet i nio fall av tio något så djupsinnigt, att det icke kan tryckas annat än möjligen i Tyskland eller Östersund. Nej, med tänkandet får det anstå till dess att jag en gång lyckats skaffa mig ett eget tryckeri.

Jag fattade alltså pennan och skrev på sprakande magyariska utan att tänka:

Tappra och ädla ungerska folk!
Lysande kollega, Budapesti Napló!
Högtärade Herr Doktor Szcxyzåäösz!

Det tjugonde århundradets kvinna kommer enligt min åsikt att vara något annorlunda klädd än kvinnan i våra dagar. Kvinnan tycker nämligen lika litet som mannen om att alltid bära likadana kläder. Jag tror också, att kännedomen om de exakta vetenskaperna kommer att vara något mera utbredd bland det tjugonde århundradets kvinnor än den hittills varit, och att kvinnan då kommer att åka på bicykel ännu mera än nu.

Jag tror slutligen, att det tjugonde århundradets kvinna för övrigt, dvs i alla väsentliga punkter, kommer att fullkomligt likna alla de föregående århundradenas. Jag är så mycket livligare övertygad därom, som jag har nöjet att personligen känna ett par av det tjugonde århundradets kvinnor. Den ena är nio och heter Greta, den andra är bara sju år och hon heter Elsa. Greta är ljus, men Elsa har brunt hår och svarta ögon. Greta är en liten snäll flicka, men Elsa är en liten stygg flicka. Båda ha likväl det gemensamt, att jag nästan aldrig ser dem utan att de äro sysselsatta med att bita i var sitt äpple.

Mottag etc. etc.

Stockholm, juli 1897
Tuppy.

CHULALONGKORN

Med tropikernas sol i sitt följe drog Paramindr Maha Chulalongkorn I i går in i Sveriges huvudstad. Husen stodo vitglödgade vid kajerna längs med Strömmen, och över äreporten vid Logårdstrappan vajade Siams vita elefant på röd duk mot en himmel, som var askgrå av solrök.

Kungen hade just gått ombord på Vasaorden för att möta sina gäster, då jag kom ned till Logårdstrappan. Där nere var tavlan densamma som alltid vid sådana tillfällen: det blåa hästgardet i parad, ändlösa led av vita plymer, och där bakom det skådelystna svenska folket i kompakt massa. På det avstängda området röra sig fotografer med sina lådor och skynken — deras lådor äro enögda och ha en djup och mystisk blick —, journalister med röda poliskort stickande upp ur bröstfickorna, och sjöministern civilklädd — endast åskådare — med en brun hatt på nacken. I skuggan av den granrisklädda äreporten gå de guldsmidda herrarna i trekantiga hattar av och an och småprata: riksmarskalken, överståthållaren, kommendanten, polismästaren och så vidare. Då och då lyftes hatten från ett grått huvud och en näsduk torkar svetten av pannan. Överståthållaren går för sig själv med händerna på ryggen; då en vindil rycker loss ett par granriskvistar från äreporten, böjer han sig ned och tar upp dem och fäster dem omsorgsfullt där de sutto förut. Lakejerna stå förbluffade...

Värmen är tryckande. I gardesregementenas häck blir det för ett ögonblick en lucka: en soldat har svimmat och måste föras bort.

Så med ens går det den obestämbara ilning genom människoskaran, som signalerar: nu komma de! Gustaf III:s vackra vita slup skjuter fram i prosceniet tyst och lätt som gondolen i "Konung för en dag", mitt i slupen står kung Oscar smärt och rak, och vid hans sida står en liten mörkhyad man i vita kläder, med spelande bruna ögon och med de barnsligt rundade dragen upplysta av ett gott och glatt småleende.

Det är Siams härskare.

Han stiger i land, han mottager och besvarar sin kunglige värds hjärtliga omfamning, han låter presentera för sig de guldsmidda gråhårsmännen på kajen, och hans hållning och rörelser ha under allt detta något av japanens skygga, nästan kvinnliga behag, men också något av hinduens stilla värdighet. Men vad som först och sist frapperar i hans yttre är detta: så ung han ser ut. Av alla de fåror, som årens skiftande erfarenheter ha hunnit gräva i en med honom jämnårig europés ansikte, har han intet spår; och likväl har den fyrtiofyraårige mannen fört ett liv, rikt på själsarbete och bekymmer. Tidningarna ha berättat, att han är en reformator, som i mer än tjugu år har arbetat och alltjämt arbetar på sitt folks höjande och sitt rikes förnyelse; och han reser nu Europa runt och spanar med sina klara bruna ögon i varje vrå efter allt som kan vara hans folk till nytta. Men han har å anddra sidan icke ätit mycket kött, icke druckit mycket av starka drycker och icke haft någon beröring med vad vi kallar *l'amour-passion;* ty då han fattat tycke för en kvinna, har han alltid strax tagit henne till hustru. Ett sådant liv skänker människan en lång ungdom.

Folket på kajen hurrar, då han stiger i vagnen och vid sin värds sida kör upp till slottet. Kung Paramindr Maha Chulalongkorn småler fortfarande lika vänligt och glatt, och under tiden gå hans tankar tillbaka till de fem eller sex millioner små mörkhyade människor med svärtade tänder, som Buddha i sin godhet har anförtrott åt hans vård.

REQUIESCAT IN PACE

En silvergrå morgonluft, en tyst och halvskum gata, på vilken en flock nyfikna människor med stirrande ögon och vidöppna munnar har samlats framför en port. Men in i porten försvinner då och då en diplomat i lång svart redingot med rutiga knappar. Det är själamässa över Spaniens mördade premiärminister i den heliga Eugenias kapell.

Där inne lyser det av rött och blått och guld, och luften är tung av damernas parfymer. Vaxljusen brinna höga och smala kring en kista, från vars lock "Det gyllene skinnets" ordensinsignier glimma fram i halvdagern. I koret röra sig präster och korgossar ljudlöst fram och åter, och från orgelläktaren ljuder sången dämpad: Requiem æternam dona eis, Domine. Ett rökelsekar svänger långsamt av och an likt en pendel, röken lägger sig i blåvioletta skyar under valven, sprider en ljum och kryddad doft och sipprar ut genom rökhålet i korets tak. Denna doft är kär för de troende, ty de betvivla icke, att det var samma rökelse de helga tre konungar fordom läto brinna framför krubban i Betlehem...

Vid min sida sitter en svartklädd gammal dam av sydländsk typ. Hon mumlar böner och fingrar på sitt radband, och i hennes öga lyser en tår. Kanhända är det endast den tår, som de religiösa ceremonierna alltid ha så lätt att locka fram i kvinnornas ögon. Kanhända också, att hon är spanska och tänker på sitt land, som nu har svåra tider och där ingen vet vad morgondagen kan bringa. Kanhända tänker hon på den mördade statsmannens änka och på mördarens replik: — Min fru, jag respekterar edra känslor, men plikten bjöd mig att döda er man...

Plikten.

Det var icke någon dålig replik, låt vara att den innehöll föga tröst. Men är det icke så: vi människor respektera alltid varandras känslor, och vi skulle aldrig göra varandra något ont, om icke plikten tvingade oss. Hur ofta driver icke plikten en statsman att mörda eller låta mörda? Canovas hade alltid höga och stränga begrepp om sin plikt. Hans plikt, det var att förr låta blod flyta i strömmar, hur mycket blod som helst av det ädlaste Spanien äger, än att släppa efter en tum av "Spaniens ära". Det ser stundom underligt ut i en statsmans hjärna. Så kommer där en annan man, vars hjärna är sjuk och förvirrad i en annan riktning, en man med andra feberdrömmar om begreppet "plikt", en man för vars öron orden "Spaniens ära" klinga lika främmande som orden "Kamtschatkas ära", och för vilken den lysande och berömde statsmannen endast är brottslingen, mänsklighetens fiende, som det är hans plikt att döda. Han gör det, och det är nu inom kort en annans plikt att döda honom, och när dödsångesten lockar fram kallsvetten på hans panna, viskar kanske mannen med

bilan i hans öra: min vän, jag respekterar edra käns-
lor, men plikten...

———

Biskopen stänker vigvatten på kistan. "Requiescat
in pace."

Den heliga kyrkan är en god moder även för syn-
darna. Även på mördarens kista kommer inom kort
en präst — men icke någon biskop, endast en liten
fattig munk — att stänka vigvatten och mumla "re-
quiescat in pace". Och bägge skola sova i samma
djupa ro.

EN STOCKHOLMSKRÖNIKA FRÅN SEKEL-SKIFTET

(1900)

I

Käre läsare, jag vet, att du är lika mycket världsborgare som stockholmare, och jag betvivlar icke, att du ännu i förrgår morse intog din frukost — en omelett, en köttbit och litet ost och vin — på trottoarkanten vid Capucinernas bulevard, utanför Café de la Paix. Det var kanske den sista vackra höstdagen — i Paris kommer den ju ibland ett stycke in i december — och du såg med vemod och dock resignerat det sista, ännu matt bronsgröna bladet lossna från ett naket trädskelett och långsamt dansa ned i din tallrik, medan en blek sol förgyllde luften och husen och de små kvinnornas hår, där de trippade förbi dig på asfalten. Några timmar senare satt du på tåget, som ilade över gränsen, och såg solen gå ned i ett frostigt rött bakom Flanderns kullar, och sent på kvällen rullade du i vinande snöstorm över den mäktiga Rhenbryggan in i Köln. Och vidare norrut gick färden, över det stora trista Hamburg med sin pestluft från fletherna och sin gråa spleen över Alstern, som skulle göra dig galen om du måste bo där; du gungade över Bälten och lät nordanvädret piska dig i synen, och med ett bybud i hälarna gick du lugnt på dina egna fötter nedför "Ströget" i Niels Lyhnes stad och steg ombord på Malmöbåten — och nu är du hemma.

Du är hemma igen och sitter i en skinnsoffa i Rydbergs kafé efter en solidare frukost än den du åt på bulevarden, en nationalfrukost med brännvin och extra smörgåsbord, kanske inte så mycket för att du älskar dieten som för att riktigt sätta dig in i, att du verkligen är hemma. Du betraktar din fädernestad genom rökskyarna från cigarren. Det är ett riktigt väl-signat julväder med våta, långsamt dalande snö-gubbar, som sätta sig fast i vita klattar på de stora fönsterglasen åt torget, på vars trottoar stockholmar-na nu på nytt uppföra sitt gamla kära skuggspel för dina rörda ögon, och du känner strax igen dina pap-penheimare trots imman på glaset, om du också inte har sett dem på tre eller fyra år; du känner igen dem alla, generaler och överhovjägmästare, professorskor och kokotetter, herrarna som verka i det allmänna och fruarna som skvallra i det enskilda, nationalskal-der, nationalaktriser och själva nationalkolingen. Du känner också igen den magnifika fonddekorationen där längst borta i snödiset, det nyss rentvättade, men tyvärr ännu i dag till stor del obetalda slottet, som till sin ena hälft är byggt på hälleberget och till den andra på lösan sand och okvitterade räkningar; och du häp-nar på nytt över, att det kan se så stort ut, ehuru det är så litet, ty det kunde ledigt få rum som ett större lusthus på Karusellplatsen mellan Louvrens båda flyglar. Men Louvren ser man ju aldrig som ett helt, den verkar icke som ett hus, utan som en husrad, ett stycke gata — ett rätt stort stycke gata, ungefär som Drottninggatan från Samson & Wallin till Adolf Fred-riks kyrka. Vårt slott åter verkar som hugget ur ett enda block, men ett enormt — det är bara synd, att det ser så nytvättat ut, och du längtar kanske i tyst-het efter att åter en gång få se det så, som du förr har sett det under alla de gångna åren ända från den tid, då du först lärde dig att hålla av det, mörknat av ålder och märkt av två århundradens stormar och snö. Men du längtar i så fall förgäves och längtar dessutom dumt, ty också ett kungligt slott är en män-niskoboning och bör likna en sådan.

Mera smärtar det dig kanhända, att detta vackra slott, stadens och hela landets stolthet, ännu icke är fullt betalt och icke heller någonsin kommer att bli det; ty fordringsägarna och deras rättsinnehavare äro för länge sedan döda och glömda. Dina ögonbryn rynka sig helt säkert i kränkt rättskänsla vid tanken på allt stulet material och alla bedragna leverantörer, och du blir bitter vid minnet av de stora arvodena, som stundom betalades, och de små daglönerna, som lämnades olikviderade. Du erinrar dig, hur hantverkare, som redan förut voro hårt tyngda av krigsbördorna, genom slottsbyggnaden bragtes till tiggarstaven, och hur arbetare fingo svälta med hustru och barn. Men du klarnar helt säkert åter upp, om av en slump den odödliga, ja verkligt monumentala vändning faller dig i minnet, med vilken den aktade författare, som i stadsfullmäktiges stora bok om Stockholm berättar slottsbyggnadens historia, lätt och varsamt berör denna gamla skandal: "Nu", skriver han, "sedan supplikanterna för alltid tystnat" (observera supplikanterna — vilken delikat terminologi! — hädanefter vet jag hur jag skall titulera mina björnar!) "och döden utjämnat alla spår av lidna oförrätter, kan man odelat ägna sin beundran åt denna okuvliga energi, som under de brydsammaste förhållanden trotsade varje motstånd" etc. Du inser nu strax, att du nyss var dum och sentimental och att vi nu för tiden ha annat att tänka på än tarvligt folks bekymmer för två hundra år sedan, och på samma gång finner du rentvättningen ännu bättre motiverad. Dessutom erinrar du dig, att det för resten gick till på samma sätt, när Ludvig XIV byggde Versailles, fast i större skala, och då har ju ingen något att säga. Du skyndar dig alltså att ägna den okuvliga energien all den beundran du för tillfället kan undvara och tillser i stället noga att det åtminstone icke blir något över för *den* energi, som en bonde från Leksand och en grosshandlare från Göteborg på senare år ha utvecklat i Norrström. Det får bli framtidens sak att beundra dem...

Du sitter och ser på allt detta genom röken och genom den fallande snön — en hel vit och ren himmel, som långsamt sänker sig ned över smutsen och mörk-

215

ret för att småningom själv bli till smuts — du ser på slottet och staden och människorna, vilkas silhuetter bakom fönstret blir allt svartare och skarpare allt som vinterskymningen tätnar. Och du tänker för dig själv, medan du betraktar skuggorna, som glida förbi och stanna och gå och komma igen: människan trivs dock på längden bäst i den stad och ort, där hon har sina rötter och i vars skvaller och små historier hon är en smula invigd och där hon själv spelar med i komedien; då först få figurerna liv och kulisserna färg och perspektiv, där de icke rent av bli genomskinliga...
Och medan du ser ditt galleri passera revy och i tankarna går igenom allt vad du vet om de uppträdande och allt vad du tror dig veta om dem; tycker du dig känna dem och förstå dem bättre än någonsin, icke blott de politiska herrarna utan till och med de moraliska damerna, ty du kan själv icke helt och hållet frikännas varken från ett lättfärdigt begär att verka i det allmänna eller från en allvarlig böjelse för skvaller... Men se, vem kommer där, är det inte ett stycke av din ungdom, och ett av de allra bästa styckena, som nu går förbi fönstret? Du känner igen den beskuggade blicken och de kroatiska mustascherna, det är han själv, det är din ungdoms stora bloss! Herregud, så tiderna förändras! Han hade för gott huvud i sin ungdom, den mannen, men det hämnade sig; det är inte på den vägen man blir nationalskald här i landet. Så föll det honom in att göra som Hamlet och spela tokig för att komma i nivå med omgivningen och bli förstådd — och förstådd blev han, nationalskald närapå också... Men han är redan borta i snön, och från andra hållet kommer där en annan av våra store män med pälskragen uppslagen och snö i mustascherna, som för resten äro vita förut. Du blir formligen rörd, när du ser hans silhuett glida förbi och försvinna, ty han var utom Strindberg och Karl XII den enda svensk, vars namn du någon gång hörde nämnas därute i världen, och han väcker också till liv

hos dig ett av din ungdoms eller kanske din barndoms mest underbart skimrande minnen: en höstkväll för många, många år sedan, då hela staden var illuminerad och alla människor på benen för att få se den stora härligheten, Vegas infärd på Strömmen. Och du har ännu icke glömt, hur du under alla knuffarna i trängseln nere på Strömgatan grubblade över vad du skulle göra för märkvärdigt för att en gång som den mannen få hålla en triumfators intåg i din fäderne-stad på ett spökskepp med blåa eldar kring master och rår och med tacklingen gnistrande av rimfrost — åtminstone föreföll det dig så — medan staden och hamnen skimrade som ett himmelrike av ljus och raketer och mängdens bifallsskrän jublade dig till mötes från kajerna och kungen själv stod på Logårds-trappan — en Gud fader i serafimerband och plymascher — och räckte dig en briljanterad orden...

Pang! En kypare skruvar upp det elektriska ljuset, en annan skyndar sig att dra skynken för fönsterna, och middagsorkestern spelar upp en smattrande marsch därinifrån den rödbruna salen med guldspaljén. Ridån är nere och pjäsen slut, och du sitter ensam och stirrar på de gröna väggarna kring vilka tjänarskaran står uppställd och stirrar lika stelt och tomt som du själv. Du vaknar upp ur drömmen om triumf-tåget, betalar ditt kaffe och går din väg, ut i staden, ut i julsnön.

II

Den första ledstjärna du ser skymta genom snö-tjockan är Tornbergs klocka, Stockholms klassiska rendez-vous för herrar, som ämna sig ut att festa. Du skall äta middag på Grand eller Operan eller var det nu kan bli, du har kanske egentligen ingenting emot att göra det ensam, men du håller också till godo med att få sällskap av en eller annan gammal prisse —

217

gammal prisse betyder på stockholmska en mansperson, som man är du med.

Du stannar ett ögonblick under klockan, försänkt i grubbel över vart du skall ta vägen. Du kastar först en tanke på Operan. Vid ett middagsbord där har du den saliga känslan av att befinna dig i världens medelpunkt, och ingenstädes kan du höra själva din fädernestads hjärta klappa närmare ditt eget än där. På Du Nord får du de bästa köttbullarna, och där träffar du också de flesta gamla prissarna. Din tanke ilar vidare till Grand, vars mahognyväggar komma dig att drömma om oceanångares vaggningar och långfärder till havs, medan glödlamporna på sina smala trådar tyckas fladdra som eldflugor i rymden. På Hamburger Börs är luften tung av minnen. Det var där du en gång för många år sen, nyss lössläppt ur skolan, för första gången stormade löst på livets smörgåsbord, för att sedan i ett litet krypin med korsvalv från Bellmans tid, eller kanske äldre, berusa dig mera med känslan av livets fullhet i största allmänhet än med den gröna chartreuse, som ditt ungdomliga övermod hade valt till kaffet; och när du så kom ut och såg månen försilvra en grå husrad och hörde flickornas skratt förklinga i Jakobsgränd, upprepade du kanske för dig själv Karl XII:s ord i Öresund: detta skall hädanefter vara min musik... Men Anglais, det för en ytlig betraktare så stela och korrekta Anglais, som en gång var den svenska nittitalsparnassens käraste tillhåll, Anglais har flyttat bort från sina minnen, från första våningen till nedra botten, och är fullt av folk men tomt på skalder... Dock, ännu firar parnassen stundom sina orgier där i smårummen, gräsliga orgier med haschisch och opium och en djävulsk dryck vid namn centrifug, bestående av konjak och apollinaris, vilket vispas om med en kork på en silvergaffel, tills det fräser som champagne, varefter drycken tömmes i ett drag under uttalande av mystiska besvärjelseformler. Men din tanke ilar i allt vidare kretsar kring

staden och stannar kanske denna gång vid Skeppsbro-
källaren, där den andra parnassen, den "riktiga", el-
ler som den också kallas, Skeppsbroparnassen, blan-
dar sina enkla fosterländska toddar, oberörd av all
den nya tidens flärd. Och om du har riktig tur, får du
måhända där se den blide sångaren själv, han med
den berömda skära, spiritualistiska nysilverklangen;
du får kanske se honom hänga sin Davidsharpa
på en krok vid dörren under den lagerkrönta cylinder-
hatten, ställa sitt riksbekanta svärd i paraplystället
och med passionens ros i knapphålet slå sig ned i en
enkel schaggsoffa. Där väntar honom kanske redan
hans kära kollega, en av de mest nitiska medlemmar-
na av den vittra sällskapsorden, vars ständige sekre-
terare skalden är — den allvarlige, plikttrogne äm-
betsmannen, som efter veckans slit och släp i ett av
rikets mest arbetstyngda kollegier stundom slår sig
lös på lördagskvällen för att i glatt sällskap diskutera
tidens frågor. Där planlägga de båda stridskamraterna
sina oförskräckta fälttåg mot tidens ondska i Ellen
Keys person, då och då uppmuntrade av ett telefon-
bud från spökslottet, och där dryfta de i lugn och ro
den viktiga frågan om vem som skall ha Nobelpriset
för året, Tolstoj eller Sigurd.

Från Skeppsbroparnassen fladdrar måhända din
oroliga ande omkring till de andra. mindre parnas-
serna, Växjöparnassen, Turkiska spökparnassen och
vad de allt heta, men du frågar förgäves dig själv el-
ler andra, var de hålla hus. Och Figaroparnassen —
var vilar dess stridbare hövding nu sin eldsjäl efter
arbetsdagens möda, eller med andra ord, var tar Jör-
gen sin middagslur nu för tiden? Du vet det inte, men
du längtar att återse honom, ty du känner dig inte
riktigt hemkommen förr; och du hinner knappt längta,
förrän du redan ser honom sitta i sitt soffhörn med
sin whisky på bordet, det må nu vara i Operakafét
eller i baren på Grand. Skägget är grånat, men musta-
scherna lysa ännu svarta som ett par blankborstade

219

stövlar, och de bruna ögonen tindra med ungdomens livlighet, när de blott orka hålla sig öppna. Men du vet, att han gärna nickar till i sitt hörn, och ännu i drömmen uppföra helt visst hans fiender burleska danser till hans nöje, ty han ler i sömnen som ynglingen mot sin älskarinna. Och till de levande sluta sig kanske stundom i stilla tåg hans kära avlidna. Var äro de nu, Janne med sitt kattskinn och sin en gång så lekfulla kalv, hovkamrern med sina förgyllda ben och sin på sju sätt stavade titel? Klio, den obevekliga gudinnan, har dolt dem i sin mantels marmorveck och låter dem tills vidare leva ett blekt skuggliv i de gamla Figaroårgångarna på k. bibliotekets gallerier tills någon av framtidens litteraturdocenter en gång finner dem och väcker dem upp från de döda för att av deras lidande bygga sig en trappa till en efterlängtad professur.

Men, käre läsare, var var det egentligen jag lämnade dig sist? Jag tror att jag har glömt dig kvar under Tornbergs klocka mitt under ett förskräckligt snöfall och väntande på en väns råd i den viktiga frågan, var du skall äta din middag. Du kan ju äta på Sällskapet, där du naturligtvis är medlem — jag går till Grand, så blir jag av med dig på en stund.

Men vi kan ju träffas i eftermiddag.

III

Vad göra stockholmarna om kvällarna?

Hela världen vet, att de då samlas i dyrbart och smakfullt dekorerade lokaler för att förtära alkoholhaltiga drycker. Denna nationella plägsed stöder sig på urgammal hävd. Redan våra i hedendomens mörker försänkta förfäder drucko mjöd ur horn, därom vittna bland annat själva hornen, som i regeln voro försedda med fotställningar och handtag av nysilver, och av vilka många ännu i dag pryda de skickligt imiterade ekpanelerna i våra grosshandlares matsalar. Med drickandet, som alltjämt förblev huvudsaken, förband man redan tidigt diverse mindre förströelser, sång och musik, bröllop och begravningar, fälttåg, fredsslut etc. Utan dryckesvaror ha inga folknöjen kunnat vinna någon varaktig popularitet. Jag tror mig också någon gång ha hört, att en företagsam medborgare i början av detta århundrade ingav ansökan till magistraten att under de omtyckta spöslitningarna på Träsktorget få, särskilt under den vackra årstiden, anordna servering vid småbord. Ansökningen avslogs, en omständighet som utan tvivel kraftigt medverkade till att spöstraffet någon tid därefter avskaffades. Denna svenska folkets kärlek till spritdrycker har i sedligt hänseende en betydelse, som icke kan skattas nog högt. Människan måste nu en gång anslå en viss del av sin tillvaro åt arbetet, en annan del åt nöjet; och det är tydligt, att ju mera tid, pengar och kraft hon använder på att supa, desto mindre får hon över till andra, svårare synder. Därför står också Stockholm i sedligt hänseende utomordentligt högt. Antalet av med diplom försedda fåvitska jungfrur uppgår till endast åtta hundra (de flesta från Kalmar stift, som också tycks behöva sin biskop), en för en så stor stad rätt oansenlig siffra. De odiplomerades antal är möjligen här som annorstädes något större; men i det hela taget är det tydligt, att Stockholm offrar oändligt mycket mindre åt Venus än åt Bacchus.

En vis lagstiftning har också gjort allt vad i dess förmåga stått för att leda svenska folkets nöjesbegär i denna sunda riktning och skydda det för frestelser av det andra, farligare slaget. Då i mitten av århundradet de oskyldiga nöjen, som vid sidan av drickandet glatt våra förfäders enkla hjärtan, som spöslitningar, avrättningar och kungliga lik, av falska humanitetssträvanden började trängas mer och mer i bakgrunden för att slutligen alldeles försvinna, började den från utlandet införda s k varietén mer och mer vinna insteg. Fruntimmer, vilkas enskilda liv icke alltid åtnjöt ett fullt fläckfritt rykte, uppträdde på en tribun och avsjöngo under sprattlande rörelser med benen visor, vilkas sedliga halt det var omöjligt att kontrollera, då de nästan alltid voro avfattade på något främmande språk.

Då dessa föreställningar voro förenade med utskänkning av spritdrycker, uppnådde de inom kort en oroväckande popularitet. De okyska melodierna, bakom vilka man ju kunde tänka sig hur osedliga texter som helst, trängde från varietétribunen ut i det borgerliga livets alla vinklar och vrår; från positiven förgiftade de på bakgårdarna våra tjänares moral, och själva dibarnen gnolade dem i vaggan. Därtill kom, att varietén etablerade en alltför ojämn konkurrens med k. nationalbaletten, som bara har 200 000 kr. om året i statsanslag och ingen utskänkningsrättighet i salongen. Slutligen gick det en dag därhän, att en inflytelserik politiker av den frireligiösa fraktionen vid ett besök på en varieté blev bestulen på en plånbok med inneliggande fem kronor; och när det vid rannsakningen utröntes, att brottslingen hade begått tillgreppet för att kunna köpa en blombukett att kasta upp åt sin tillbedda på tribunen, var måttet rågat. Här, om någonsin, måste lagstiftningen ingripa. Den ingrep kraftigt, och resultatet är känt. Det motsvarade visserligen icke alla förväntningar; men samhället hade likväl manifesterat sin moralitet.

Det svenska folkets sedliga medvetande har alltså, som vi nyss ha sett, i väsentlig grad koncentrerat sig på förtärandet av spritdrycker. Kärleken till dessa drycker har särskilt i Stockholm nära nog antagit formen av en religiös kult, som helt naturligt når sin kulmen inom supsällskapen eller de s k ordnarna. Behöver jag väl upprepa namnen på dessa ordnar, då varje äkta stockholmare är med i dem alla? Stora sällskapet, Frisinnade klubben, Moderata valmansföreningen, Blomkronan, Par Bricole, Svenska akademien... Ja, den sistnämnda hör måhända strängt taget icke hit. Där serveras nämligen endast sockervatten, och man behöver icke vara människokännare för att fatta, att sällskapet under sådana omständigheter har nödgats strängt begränsa sitt medlemsantal.

En del av dessa sällskapsordnar förena med sitt huvudändamål vissa mer eller mindre behjärtansvärda specialsyften. Sålunda tjänar "Par Bricole" på en gång konstens och moralens intressen genom att i form av imponerande körverk framföra den begåvade kompositören men tvetydige skribenten C. M. Bellmans efterlämnade arbeten. Allmänheten får på detta sätt njuta av den vackra musiken utan att behöva störas av den slippriga texten, av vilken i körsång föga kan uppfattas. "Sun Flowers" åter har förelagt sig den vackra uppgiften att söka bereda Stockholms författare och konstnärer tillfälle till ett bildande umgänge med yngre officerare och damer ur societeten, och "Utile Dulci" söker förljuva de dystra höstmånaderna genom att till dem förlägga sina vårfester.

Då ett ordenssällskap i Stockholm har njutit sin sorgfria tillvaro i tre eller fyra år, känna medlemmarna vanligen en obetvinglig lust att fira ett jubileum. Men då ett fyraårsjubileum knappast lämnar tillräcklig grundval för en äkta feststämning, ägnar sig sekreteraren en tid åt historiska studier, som leda till den upptäckten, att sällskapet är tjugufem år gammalt, och man anordnar nu en stor fylla med kantat. Först tar kören upp högtidligt och djupt:

Vad är ett tjugufemtal utav år?
På tidens ström det som en blixt förgår.
För oss atomer dock en viktig stund:
Vi stå vid *fem och tjugu* års förbund.

Varefter en skär sopran i ett solo tolkar sällskapets ädla syfte:

Att sunda vettet,
av himlen givet,
må göras fruktbart
i sällskapslivet:
det är vår mening
med vår symbol,
det är vår strävan,
det är vårt mål.
    Skål!

Kören:

Att sunda vettet o.s.v.

Det ligger i sakens natur, att de förströelser, vilkas åtnjutande enligt regeln icke är förenat med utskänkning, som tex litteratur och konst, av stockholmarna behandlas med en berättigad likgiltighet, som stundom kan övergå till stränghet, ja, i tider av stark moralisk väckelse — och sådana tider återkomma lyckligtvis periodiskt med en regelmässighet, som nästan kan göra dem till föremål för meteorologiska förutsägelser — kan den flamma upp till en verklig eldsvåda av sedlig indignation. Exemplen därpå torde vara i alltför friskt minne, för att jag nu skulle behöva erinra om dem — jag vill blott här påpeka en småsak, som vid hastigt påseende kan förefalla som en besynnerlig anomali, ett nyckfullt undantag från den stockholmska anständighetsregeln, men som vid närmare eftertanke först genom den får sin fulla belysning och förklaring. Den nya Djurgårdsbron prydes som bekant av fyra i brons gjutna typiska stockholmsbusar eller sk kolingar, vilkas friska humor mäktigt talar till folkets hjärtan, medan på samma gång de mörka figurerna i sina bronspaltor tyckas rikta ett hotfullt *mene tekel* till den i sin gummiringade viktoria sorglöst framilande rentiern. Allra kraftigast riktas likväl detta mene tekel av den rysligaste bland busarna, han som står till vänster på brons bortre ände och vänder mot den från staden kommande flanören en skamlöst blottad bakdel av heroisk muskulatur. Den fredlige vandraren stannar förskräckt och böjer ofrivilligt åt sidan vid denna anblick, som synes honom innebära ett lika allvarligt hot mot hans nystrukna cylinderhatt som någonsin de bevingade oxar, om vilka Svante Hedin en gång i ett sorgset ögonblick fantiserade. Hur kommer det sig, att denna buse opåtalt får exponera sin dystra final, medan alla andra nuditeter på offentliga platser, manliga, kvinnliga och till och med barnsliga, framkalla en störtflod av insändare och ledarenotiser i den moraliska pressen? Svaret är enkelt: busen är ful. Han är så förskräckligt ful, att ingen törs se på honom; och den moraliska pressens uppfattning av anständigheten vilar på en tyst överenskommelse, att endast det sköna är osedligt.

IV

Din dag är slut, det lider redan långt fram på natten. Du går ensam genom de vita gatorna, som ligga tomma och tysta runt omkring; blott då och då skär det en smula bjällerklang genom tystnaden, och framför dig går en gammal man med en lång stång i handen och släcker lyktorna. En tom drosksläda kommer just förbi efter en trött häst, och du hejdar den; kusken säger, att det är sent och att han skall åka hem, men då ni komma underfund med att ni ha ungefär samma väg, låter han beveka sig och ber dig sitta upp. Med uppfälld krage och ögonen halvslutna åker du hemåt utåt Strandvägen förbi Nybroviken, där vedskutorna spegla sin tackling i vattnets oljiga svarta ringar. Det snöar inte längre, det har klarnat upp; det fryser på, och det är bistert kallt. Du sitter och ser på stjärnorna, på Orions bälte och den röda Aldebaran, som står högt över Blasieholmens mörka hus, och du tänker på din stad, dess nutid och framtid.

Stockholm har nu mycket bredare gator, flera kyrkor och läsarkapell, större hus och större skojare än förr i världen. Från en ringa början har det vuxit upp till en storhet och prakt, som storhetstidens kungar och folk knappt vågade drömma om. Det är ingen världsstad ännu och blir det väl aldrig, därtill ligger det för långt borta i periferien; men det är likväl medelpunkten för ett folk. Det är ett avlägset, men friskt och grönskande skott från den europeiska civilisationens stora träd, och det är en av den germanska kulturens viktigaste förposter i öster.

Vid grävningar i Kungsträdgården fann man en gång det fragmentariska skelettet av en bland Stockholms allra äldsta urinvånare: en grönlandssäl. I Vasastaden och vid Djurgårdsbrunn har man funnit skal av arktiska musslor. Det är minnen från jordens barndom, icke just från den allra första, men från istiden. Långt senare, när de besynnerliga människor, som voro mästare i den numera glömda sporten att raka sitt skägg med flintknivar, kommo till Sverige, stod Stockholmstrakten under vatten. Icke ens Mosebacke nådde upp över vattenytan. Detta var orsaken, varför stenåldersmännen ännu icke funno tiden vara inne att anlägga Stockholm. Det blev likväl anlagt, ehuru något senare, och växte till under skydd av omtänksamma regenter, vilka noga sågo till att inga andra städer fingo komma sig upp och tävla med residenset i betydenhet. Men fast provinsstäderna förblevo fattiga, blev Stockholm icke därför rikt. Kungen behövde alltid pengar, och han tog dem där han hade närmast till dem. Men vi skola icke vara ledsna på honom för det; han hade så stora utgifter, och det kunde väl icke gå till på annat sätt, och Stockholm växte trots skatter och pålagor och hunger och pest och har nu över tre hundra tusen invånare, mycket hyggligt folk i allmänhet.

Om trettio år skola vi vara en halv million har man räknat ut. Ett nytt släkte skall då väsnas och bråka i en ny stad. Elektriska spårvagnar skola ringa och tuta i lurar på sin vilda jakt genom gatorna och genom nysprängda tunnlar under Söder och Brunkeberg; på nya broar över Strömmen går människofloden från Norr och Östermalm genom den gamla staden uppåt Söders industrikvarter och ända bort till de nya hamnarna vid Årstaviken och den forna Hammarby sjö, och långt bort i väster, knappast inom synhåll från den gamla slussbron, ilar tåget över Mälaren på en mäktig bro, under vars valvspann stora svarta kolångare draga fram i moln av tjock rök... Den generation, som nu fyller staden med sitt larm och med ryktet om sina bragder, förhåller sig väl då till större delen stilla och beskedlig; men du själv, käre läsare, skall helt säkert få den stora lyckan att då ännu stulta omkring på stela ben bland en måhända hjärtlös och oförstående ungdom utan alla ideal, och med fuktiga ögon kommer du då att ägna den nyaste uppsättningen av kvinnlig fägring din resignerat platoniska beundran, medan du slickar en smula sol på Birger-Jarlsgatans asfalt den första vårdagen ——

Och sedan, när också du är död och begraven? Då är Stockholm ännu större, och sen var det ingenting mer!

STOCKHOLM KLOCKAN ÅTTA PÅ KVÄLLEN

(1905)

De små och medelstora butikerna stänga: på Drottninggatan slocknar det ena fönstret efter det andra, gaslyktorna lämnas att förtvivla över sin obetydlighet och den stora affärsgatan blir åter den mörka småstadsgränd som den varit under längsta tiden av sin tillvaro. Blott utanför en och annan restaurang hänger ett blåviolett elektriskt ljusklot. Butikernas små fröknar och herrar skynda till sina små nöjen eller sin korta vila, en och annan kanske till boken eller kalkylerna under den ensamma studielampan, som skall hjälpa honom upp på ett högre plan av tillvaron och kanske en dag göra honom till en handelns Napoleon och kommendör av Vasaorden... På teatrarna är man mitt i första akten: förpostfäktningen, där det gäller att sticka ett litet förberedande hål på publikens middagsflegma, för att sedan så småningom kunna tränga in till dess hjärtan och nerver... På kaféerna skrälla orkestrarnas inledningsmarscher mot ännu halvtomma väggar... Hos generalkonsuln, som har middag, höjer middagsätarnas doyen sitt glas mot värden och värdinnan med en fuktig blick, man skrapar med stolarna och stiger upp från bordet... I de tusen hemmen lägger man småbarnen till sängs, kämpar dagens sista, oavgjorda strid mot den sociala revolutionen, som rasar i köket och jungfrukammaren, och samlas sedan kring aftonlampan för att efter dagens oro förfriska sin själ med den rena doften från Daniels Vita syrener...

Men den som skriver detta har under tiden hunnit Drottninggatan utför, vikt om hörnet på Fredsgatan och kommit ut på Gustaf Adolfs torg. Tornbergs klocka visar sju minuter över halv nio. Den har i detta ögonblick ett dystert och ödesdigert ansikte: båda visarna sloka nedåt och böja av åt vänster. Den har en stämning av kvällen före ett nederlag. Jag tror att det var vid denna timme Brutus satt ensam i sitt tält och i ljuset från en liten flämtande lampa såg den hemska skepnaden som sade: vi träffas vid Filippi. Under klockan står en ensam man och väntar på någon som dröjer. Vem väntar han på...?

Då jag kom närmare kände jag plötsligt igen honom: det var en av denna ärade tidnings mest distingerade medarbetare.

— Vem väntar du på? frågade jag.

Han svarade:

— På dig. Har du glömt ditt löfte?

Mitt samvete slog mig. Jag kunde inte förneka faktum: jag hade lovat att skriva något, vad som helst, om timmen mellan åtta och nio.

— Jag brukar inte hålla mina löften, svarade jag. Men för din skull vill jag göra ett undantag.

Och jag tog upp min annotationsbok och min blyertspenna och satte mig på stadsbudsbänken i hörnet, som för ögonblicket var tom, och skrev...

TILLKOMST BAKGRUND NOTER

MARTIN BIRCKS UNGDOM

I sina anmärkningar till Martin Bircks ungdom i Skrifter (1921) skriver Hjalmar Söderberg:

"*Martin Bircks ungdom* påbörjades — på sätt och vis — redan 1891. Detta år skrev jag nämligen några kapitel på en tillämnad roman, som skulle innehålla summan av min tjugutvååriga levnadsvisdom. Det stannade den gången vid ett fragment, vars huvudsakliga innehåll går igen i de fem första kapitlen av "Den gamla gatan". Martin hette på den tiden Harry — något tillnamn hade han ännu inte fått. Någon gång år 1898 råkade jag hitta de gamla papperslapparna vid en städning i mina lådor, fann dem till min förvåning delvis användbara och bestämde mig för att fortsätta historien — hur den skulle utvecklas och sluta anade jag blott mycket dunkelt. Somliga romaner äro mera spännande för författaren än för läsaren, och jag tvivlar inte på att *Martin Bircks ungdom* hör till dem. Den behöver inte vara sämre för det. Den skrevs på en tid då "spänning" gällde som det föraktligaste av alla litterära tjyvknep.

Med begagnande av de korta mellanstunder, som det så kallade livet tillät mig att ägna åt det som skulle vara min livsuppgift, lyckades jag äntligen få boken färdig — eller åtminstone avslutad — 1901.

Hj. S."

Per Gunnar Kyle har i en uppsats, Martin Bircks ungdom. En belysning av dess tillkomsthistoria (i Göteborgsstudier i litteraturhistoria tillägnade Sverker Ek, 1954), emellertid visat att Söderbergs uppgifter är "både alltför summariska och alltför dramatiserade". Han bearbetade i själva verket sitt uppslag både 1892 (då ett utkast, "Länge sedan", trycktes i Dagens Nyheter 28/11), 1895 ("då han ville att Bonniers skulle

231

trycka ett utkast till barndomsskildringen i en plane-
rad novellsamling, som aldrig blev av'') och 1896
(''då han skänkte /eller sålde/ ett annat utkast till
vännen och kollegan Birger Mörner'').

Det färdiga romanmanuskriptet förvaras i Bonniers
arkiv. Manuskript till utkasten ingår i Göteborgs uni-
versitetsbiblioteks Söderbergssamling. Mörners ver-
sion, i Örebro länsbibliotek, har också granskats av
C.O. Bergström i Barndomens glädje och livets lust.
Kring ett Söderbergmanuskript (i Meddelanden från
Örebro Stads- och Länsbiblioteks vänner IX: 1940).

Hjalmar Söderberg har själv i Mina modeller (1937,
i Sista boken) belyst en del av bakgrunden till sin be-
rättelse: ''Att 'Martin Birck' i bokens två första av-
snitt, barndomen och den tidiga ungdomen, är ett
självporträtt, behöver väl knappast sägas, och att detta
självporträtt på en gång är mycket fragmentariskt och
starkt förenklat ligger i sakens natur. I det tredje av-
snittet, 'Vinternatten', är han inte längre jag, men inte
heller någon annan. Då jag skrev boken, hade jag för
längesen uppgivit min oavlönade humbugstjänstgöring
i Tullstyrelsen och helt och hållet ägnat mig åt pen-
nan. Martin Birck fortsätter på tjänstemannabanan
och finner sig i att försvinna i mängden.'' Figuren
skymtar sedan fram också i andra Söderbergsverk,
bl a Doktor Glas.

Bakgrunden till framför allt barndomsskildringen
belyses dokumentariskt i Herbert Friedländers essay
Hjalmar Söderberg som stockholmsskildrare (Svensk
Litteraturtidskrift, 1952) och med ytterligare detaljer
av Bure Holmbäck i Staden – parken – havet. Några
anteckningar om Stockholmsmiljön hos Hjalmar Sö-
derberg (i Bibliotek och historia. Festskrift till Uno
Willers, 1971). Bl a påpekar Holmbäck att Hjalmar
Söderberg inte var född på Majorsgatan 10 A (senare
12), där familjen bodde på 70- och 80-talet, utan på
Grevturegatan.

Texten till föreliggande upplaga återgår främst på den i Skrifter (1921). *Noterna* återger Hj.S:s egna anmärkningar där och bygger i övrigt på Tom Söderbergs kommentar till 1943 års utgåva. De har kompletterats och reviderats av Hans Levander. (Siffran vid noterna anger sida i boken.)

21 *Den gamla gatan* Majorsgatan, strax väster om Östermalmstorg, där Hj.S. växte upp i nr 10 A (senare 12).

23 *Ladugårdslandskyrkan*, Hedvig Eleonora eller Östermalmskyrkan.

26 *"Fäderneslandet"* skandal- och skvallertidning, utgiven 1854–1927.

30 *rökgubbe* rökningsmedel i form av en liten pyramid.

32 *Gluntar* ur Gunnar Wennerbergs populära duettsamling Gluntarne, med motiv från studentlivet i Uppsala (1847–50).

34 *Dahlbergs Svecia* Erik Dahlberghs planschverk Suecia antiqua et hodierna, utgivet 1716.

35 *rotundan* Kungligt lusthus från 1600-talet, på platsen där Linnéstatyn nu står. Det revs 1877.

43 *Livgardeskasernen* Svea livgardes kasern vid Fredrikshov, där kortegen svängde ner mot gamla Djurgårdsbron.

44 *Bellmansro* utvärdshus vid Bellmansbysten öster om Skansen. Det brann ner 1952.

45 *landfästet till Nockeby bro* på Kärsön mellan fastlandet och Drottningholm.

47 *Tyska botten*, brygga på Brommalandet, nordväst om bron.

51 *det tunga och det lätta axet* anspelning på berättelsen om Faraos drömmar i 1 Mos. 41:22–24.

54 *"Jag går mot döden vart jag går"* psalm nr 452 i svenska psalmboken.

56 *"Biet och duvan"* fabel av Anna Maria Lenngren (1754–1817).

"En padda såg en tjur, vad hände" fabel av Johan Henric Kellgren (1751–95).

"Litens resa till Drömmestad", "som här citeras ur minnet och kanske inte alldeles ordagrant, stod på sin tid i någon 'Läsebok för småskolan' under författarnamnet A.P. Qvist. Mannen, som dolde sig under denna signatur, var dåvarande hovrättsfiskalen, senare justitierådet Alfred Norberg, död 1920 vid åttiotre års ålder. — Jag räknar den lilla dikten till pärlorna i svensk lyrik." (Hj.S. 1921). — Dikten, "Vaggvisa", trycktes först i Leas tidning Svalan 11/7 1873.

57 *Ladugårdslandet skulle nu heta Östermalm* Namnet blev officiellt antaget 1885.

Methusalems niohundrasextionio år Methusalem var den åttonde stamfadern räknat från Adam till Noa (1 Mos. 5:27).

58 *Roslagstorg* nu Eriksbergsplan.

daggar repstumpar.

60 *guttaperkagaloscher* gummigaloscher.

Absalom Davids son, se 2 Sam. 16:22.

61 *Ahalas och Ahalibas bottenlösa synd,* enligt Hes. 23.
62 *Gretchenartad* Gretchen är den oskuldsfulla flickan i Goethes Faust.
   Cameo och Duke of Durham billiga cigarettmärken.
   turnyrer "damunderplagg, tjänande till att ge klänningen en yppigt utpösande form nedanför ryggen" (Nordisk Familjebok 1920).
67 *Wirsén* Carl David af Wirsén (1842–1912), skald, konservativ kritiker. Svenska akademins sekreterare.
68 *"Mefistofeles"* opera av Boito (1868).
   Henrik Rissler uppträder här f.f.g. i Hj.S:s verk och blir småningom hans alter ego.
69 *"Don Juan aux Enfers"* dikt av Baudelaire i Les fleurs du mal; citatet betyder: "Men den oberörde hjälten, böjd över sin värja, / betraktade kölvattnet och värdigades ingenting se", titeln: "Don Juan i helvetet".
   Niels Lyhne roman om en fritänkare av J.P. Jacobsen (1880).
   det ontologiska beviset teologiskt "bevis" för Guds existens.
70 *"Stå stark"* — "Stå stark, du ljusets riddarvakt", fanmarsch av Johan Nybom med musik av Gunnar Wennerberg (1848).
71 *"alma mater"* lat.: "hulda modern", traditionell hedersbeteckning på universitet.
72 *ins stille Kämmerlein,* tyska: "in i den tysta kammaren".
   Karl XIII:s orden riddarorden från 1811 som endast tilldelats frimurare.
73 *noch nie dagewesenes,* tyska: enastående, aldrig tidigare förekommande.
74 *alumner* lärjungar, elever.
   Hamburger börs känd Stockholmskrog vid Jakobsgatan.
   prillan preliminär, förberedande juridisk examen.
75 *Achab,* Ahab, kung i Israel, se 1 Kon. 16–20.
   Fliegende Blätter skämttidning i München 1844–1928.
   Lagerlunden omtyckt friluftskafé, bihang till Operakällaren.
76 *mariage* ett kortspel.
   "Hemvännen" månadstidning 1875–89 — Hj.S., student våren 1888, fick två dikter införda där 1/2 och 15/3 under pseudonymen Ossian Bark.
79 *hos chefen ... måste han personligen göra sin uppvaktning.* "En verklighetstrogen skildring av författarens uppvaktning hos generaltulldirektör Bennich (1888)." (Hj.S. 1921) Söderberg antogs som e.o. kammarskrivare i Generaltullstyrelsen i juni samma år.
   ett stort grönt ordensband Vasaordens ordensband.
84 *preexistens* tidigare tillvaro.
87 *allt är fåfänglighet* etc. — Pred. 1:2 och 1:9.
   ignobla bekymmer, oädla, låga, gemena bekymmer.
88 *recipierade i Par Bricole* invaldes i Par Bricole, en sällskapsorden, stiftad av Kexel 1779.
93 *Martin älskade denna poesi* Av nittiotalisterna hade Heidenstam framträtt med dikter 1888, följd av Levertin och Fröding 1891.
   Faust och Romeo och Julia operor av Gounod.

94 *"Donauwellen"* populär vals av rumänen J. Ivanovici, orkestrerad av Waldteufel (1885).

95 *Leja* firman Joseph Leja, varuhus på Regeringsgatan i Stockholm som 1902 uppgick i Nordiska Kompaniet.

en poet karikatyr av Skånepoeten Emil Kléen (1868–98), Hj.S:s företrädare på Nyaste Kristianstadsbladet, vilken han troligen också träffade i Skåne.

96 *Anglais* Café Anglais vid Stureplan.

agorafobi torgskräck.

paralysie générale hjärnsjukdom orsakad av syfilis.

109 *pauvre honteuse* franska: "fattig kvinna som blygs", d v s som sett bättre dagar.

112 *Spinozas gud* — Baruch Spinoza (1632–77), holländsk filosof.

115 *som sätter torpedo under arken* Syftar på Ibsens dikt Til min ven revolutionstaleren! (1869), riktad till liberalen S.A. Hedin som beskyllt honom för att vara konservativ:

"Jeg går ikke med på at flytte brikker.
Slå spillet overende; da har De mig sikker.

— — —

I sørger for vandflom til verdensmarken.
Jeg laegger med lyst torpédo under Arken."

117 *entresolen* mellanvåningen, halvvåningen.

120 *premiäraktörer* främsta, ledande skådespelare vid en teater.

Det är sant, att bönderna litet väl snålt belöna... 1868–1903 var lantmannapartiet dominerande i svensk politik.

122 *Looströms boklåda* låg på Norrbro, i Norrbrobazaren.

Crispi F. Crispi, italiensk politiker, bl a anklagad för mutor 1897 och frikänd i mars 1898.

kung Milan Milan I, kung av Serbien, abdikerade 1889 men bevarade sitt politiska inflytande och blev bl a överbefälhavare 1898.

Taine Hippolyte Taine (1828–93), berömd fransk kritiker m m, hyllad bl a av Georg Brandes.

122 *emedan han var död.* Emil Kléen dog 10/12 1898.

123 *Guido Cavalcanti* italiensk skald, samtida med och vän till Dante. Han är titelfigur i Anatole Frances novell Messer Guido Cavalcanti (i Le puits de Sainte Claire, 1895), som Hj.S. översatt (Noveller i urval, 1897); därifrån är det citerade yttrandet hämtat.

128 *skänkt blommor till Sofiahemmet de dagar, då drottningen skulle komma dit.* Drottning Sofia hade grundat sjukvårdsanstalten Sofiahemmet och var bl a ordf. i dess styrelse.

131 *Hon stod vid toaletten,* d v s vid toalettbyrån.

Pierrot ... Pierrette, älskande par i gamla maskkomedier.

139 *kompars* stum biroll, statist.

140 *Jack uppskäraren,* "Jack the Ripper", populärt namn på en aldrig identifierad kvinnomördare i London på åttiotalet.

VERS

Ett trettiotal dikter i original av Hjalmar Söderberg redovisas i Herbert Friedländers bibliografi (1944), de flesta skrivna på 1890-talet och tryckta i tidningar och tidskrifter då. Hans verstolkningar från främmande språk (danska, tyska och franska) omfattar tretton mindre dikter och Heines Tyskland, en vintersaga (1919). Fem ungdomsdikter är infogade i olika prosaverk, nämligen i historietten Syndens lön, Martin Bircks ungdom, skissen Det mörknar över vägen och Den allvarsamma leken.

Själv sammanställde Hj.S. två urval "vers", dels i Valda sidor (1908), dels i volymen Vers och Varia i Skrifter (1921). För Samlade verk I (1943) gjorde Tom Söderberg ett nytt urval med bl a ytterligare några ungdomsdikter.

I föreliggande volym har utgivaren, Hans Levander, medtagit samtliga dikter ur 1921 års upplaga så när som på två "tillfällighetsdikter" (till studentjubileet 1913 och till Carl Larssons sextioårsdag samma år) och de fyra "tolkningar" som ingick där. Också de av Tom Söderberg valda dikterna från 90-talet, dock icke den starkt Levertinpåverkade Gåvorna (1893), finns med här. I förhållande till 1921 års upplaga har ordningsföljd och underrubriker ändrats. Dikterna införs huvudsakligen i kronologisk följd, rubriken "Senare dikter" har fått ersätta Hj.S:s "Tillfällighetsvers" och diktcykeln Mitt år har placerats sist.

Hjalmar Söderbergs anmärkningar till 1921 års urval är i tillämpliga delar återgivna bland noterna nedan.

Festen "*Festen* skrevs 1891 och trycktes i Jörgens Figaro. Jag hade först tänkt kalla den 'Fête galante', men avstod därifrån då jag fick veta att det fanns en diktsamling med samma namn av en viss Paul Verlaine." (Hj.S. 1921) — Dikten infördes 5/12 1891 i Figaro under titeln "Débauche", signerad "Claude".

Du lämnar ej mina tankar stod i Ny Illustrerad Tidning 1891.

Kulturbarn trycktes i Nyaste Kristianstadsbladet 18/1 1892.

När du rodnar och *En gång älskar man* hörde till en svit "Lösa blad" i Figaro 1892 under sign. "Förf. till 'Débauche' " och infördes 11/6 och 18/6.

Långfredag och *Världsstyrelsen* (under titeln "Vår herre") trycktes i Figaro 16/4 1892.

Vintersyn och *Idyll* är ur Idun 1894, *Dagboksblad* ur Ny Illustrerad Tidning samma år.

Sylvesterklagan publicerades som "Sylvesterkantat" i Ny Illustrerad Tidning 1895. Partierna "Kör från jorden" utom Kör IV trycktes som "Nyårsvisa" redan i Nyaste Kristianstadsbladet 31/12 1891. I Kör I och VI stod då "fingrar" för "händer", och Kör V är avsevärt omskriven.

Generationer trycktes i Figaro 5/1 1895.

En oväderssång stod i Nordisk Revy 1895 och kommenterades av Hj.S. i Vers och Varia 1921: "*En oväderssång* skrevs våren 1895. Jag hade nyss gjort 'Förvillelser' färdig och ville ge Wirsén betalt i förskott för det ovett jag ansåg mig ha skäl att vänta av honom. Anspelningarna på spekulationer i 'brännvin och kaffe' syfta på ett den tiden gängse rykte, vars sanningshalt jag naturligtvis var ur stånd att kontrollera. Men jag hade, som läsaren torde finna, huvudet fullt av Heines satirer och lät, liksom min store mästare, skaldeyran ränna i väg med moralen." — Wirsén: Carl David af Wirsén (1842–1912), skald, sekr. i Sv.akad. och tidens ledande konservative kritiker. — *supplik*, böneskrift — *och ger dig sin nåd — herr Renan han den gav.* Syftar på religionshistorikern Ernest Renan (1823–92), vars förening av rationalism och mystik framhölls av Levertin i en av Hj.S. beundrad essay (1892, i Diktare och drömmare, 1898).

Sång på vattnet trycktes i Idun 1895.

Vid dammen stod i Ord och Bild 1896.

Trollspegeln trycktes i Vintergatan 1896. Motivet är hämtat från H.C. Andersens saga Snedronningen.

Ibsen. "Dikten till *Ibsen* skrevs till diktarens 75-årsdag, Svenska Dagbladet hade anmodat mig om en artikel i dagens anledning, men då jag redan förut hade skrivit ganska mycket om Ibsens dramer, skrev jag i stället en liten dikt." (Hj.S. 1921) Den infördes i Sv.D. 20/3 1903 med titeln "Till Henrik Ibsen".

Den okända stod i Ord och Bild 1904.

Rimbrev till doktor Bjerre från doktor Glas. "Rimbrev (1905) hade till anledning ett par artiklar av en d:r Bjerre (i Stockholms Dagblad) om 'Doktor Glas'. (Trycktes i Söndagsnisse.)" (Hj.S. 1921) — Det infördes i Söndagsnisse 7/1 1906. Poul Bjerre (1876–1964), psykoterapeut, hade skrivit kritiskt om Doktor Glas i Stockholms Dagblad 5/12 1905 och i Lunds Dagblad 7/12.

Människorna var ett bidrag till boken Till bokförläggaren Karl Otto Bonnier på femtioårsdagen af vänner och författare (1906).

Trädet på graven "(publ. i Dagens Nyheter febr. 1914) inspirerades av en på sin tid beryktad Frödingstudie av dåvarande docenten Böök." (Hj.S. 1921) — Ida Bäckmann hade i en omstridd Frödingbok 1913 berättat att den sjuke Fröding anklagat sig själv för ett sexuellt övergrepp i ungdomen. I artiklar i tidskriften Edda 1915 och 1916 blev det en polemik mellan Fredrik Böök, som trodde på uppgiften och rubricerade sina inlägg: Det borde varit stjärnor, och John Landquist, som menade att Ida Bäckmann fantiserat. — Tryckt i Dagens Nyheter 24/2 1915.

Krigssång trycktes i Dagens Nyheter 23/5 1915.

Mitt år. "Diktcykeln *Mitt år* skrevs (till större delen) 1913 och trycktes i Idun 1914." (Hj.S. 1921) — Enligt brev från Hj.S. till Henning Berger jan. 1914 skrevs avsnittet Våren "redan 1907, på en tid då jag var uppriven av en sorglig historia" (brytningen med Maria von Platen).

STOCKHOLMSKRÖNIKOR

I detta avsnitt återfinnes ett urval av Hj.S:s kåserier, huvudsakligen från hans första tid i Svenska Dagbladet. Han inträdde i tidningens redaktion på våren 1897, i samband med dess kända nyordning, och skrev oftast under signaturen "Tuppy" (efter resonören i Oscar Wildes komedi Lady Windermere's fan). Från 15 maj till 3 oktober det året varade Stockholmsutställningen, som bl a omfattade en rekonstruktion av "Gamla Stockholm".

193 *Första maj* var införd i Sv.D. 2/5 och var "Tuppys" första kåseri där.

196 *Turistströmmen* stod i Sv.D. 18/5.

197 *Det nyaste Stockholm* infördes 24/5.

199 *Tuppy i konsthallen* stod i Sv.D. 28/5 — det är givetvis konsthallen på utställningen som beskrivs.

202 *Kungen på Skansen* var införd 12/6 — Oscar II brukade på 1890-talet årligen sprida glans över vårfesten på Skansen. "Delsbostintan" **(Ida Gawell-Blumenthal)** och "Jödde" ("Jödde i Göljaryd") var **populära folkliga berättare på Skansen.**

203 *Bland publicister och syndare* stod att läsa 25/6 i Sv.D. — F.P. Schulthess (1847–1915), franskfödd lärare, tidningsman och ordboksförfattare.

206 *Kvinnan i det tjugonde århundradet* infördes i Sv.D. 6/7.

208 *Chulalongkorn* stod i Sv.D. 14/7.

210 *Requiescat in pace* — i Sv.D. 13/8. Titeln betyder: "Må han vila i frid". Spaniens premiärminister Canovas hade 8/8 mördats av en italiensk anarkist på en spansk badort.

213 *En stockholmskrönika från sekelskiftet* stod först i Sv.D:s julnummer 1900 och ingick sedan i novellsamlingen Det mörknar över vägen (1907) och Vers och Varia (1921). Den är Hj.S:s klassiska stockholmskåseri och både omfånget och rikedomen på aktuella anspelningar motiverar en utförligare notapparat än de övriga krönikorna:

fletherna — tyska Fleete, kanaler.

214 *kokotetter* — skämtsam hopskrivning av kokotter och koketter.

215 *stadsfullmäktiges stora bok om Stockholm* — Stockholm. Sveriges hufvudstad I–III, utg. till utställningen 1897, red. av E.W. Dahlgren. Ur kapitel där av olika författare har Hj.S. hämtat flera iakttagelser, **bl a rörande den i slutet av krönikan nämnda grönlandssälen.**

en bonde från Leksand — Liss Olof Larsson, *en grosshandlare från Göteborg*, P.E. Lithander, båda verksamma för tillkomsten av Riksdagshuset på Helgeandsholmen.

216 *din ungdoms stora bloss* — Strindberg.

en annan av våra store män — Adolf Erik Nordenskiöld, vetenskaplig ledare för Vegaexpeditionen genom Nordostpassagen 1878–79.

217 *Tornbergs klocka* — vid den tiden uppsatt på ett hus i hörnet av Gustav Adolfs torg och Regeringsgatan.

219 *den andra parnassen* — Svenska akademien.

den blide sångaren — Carl David af Wirsén.

hans kära kollega — Hans Forssell, president i Kammarkollegiet.

spökslottet — vid övre Drottninggatan, bebott av den konservative anatomen Gustaf Retzius, led. av Sv.akad. 1901.

Sigurd ... Växjöparnassen — signatur för Alfred Hedenstierna, konservativ journalist m m i Växjö.

Turkiska spökparnassen — anspelning på den spiritistiska kretsen kring Mary Karadja.

Figaroparnassen — kretsen kring tidskriften Figaros redaktör G.F. Lundström, "Jörgen".

220 *Janne med sitt kattskinn och sin ... lekfulla kalv* — Janne Bruzelius, **redaktör för skandalbladet Budkaflen, kallad "Buskalfven" eller** "Kalfven" i Figaro, och tydligen också omtalad för sin pälskrage.

hovkamrern — Frithiof Cronhamn (d. 1897), utgivare av veckobladet Hvad Nytt från Stockholm?

221 *med diplom försedda fåvitska jungfrur* — prostituerade; reglementeringen av prostitutionen upphävdes först 1919.

223 *stor fylla med kantat* "Verserna äro ur en kantat, som avsjöngs vid sällskapet 'Litteraturvännernas' tjugufemårsjubileum någon gång omkring 1890. (Jag medverkade i kören.)" (Hj.S. 1921)

225 *Svante Hedin* — Skådespelaren Svante Hedin (1822–96), också känd som slagfärdig skämtare, fick en gång i Kungsträdgården en fågellort i huvudet och tackade då enligt anekdoten sin skapare som inte gett oxarna vingar.

228 *Stockholm klockan åtta på kvällen* var Hj.S:s bidrag till en serie enkätsvar under rubriken "Stockholm dygnet runt", införd i Dagens Nyheter 24/12 1905. Övriga medverkande som beskrev Stockholm vid olika klockslag var: Bo Bergman, Strindberg, Gustaf Hellström, Hasse Z, Henning Berger, Henning von Melsted, Algot Ruhe, Marika Cederström (-Stiernstedt), Carl G. Laurin, Daniel Fallström (vars diktsamling Vita syrener nämns i Hj.S:s artikel), Sven Lidman och Albert Engström.

INNEHÅLL